나는 오늘도
행복이라는
지름길을
걷는다

나는 오늘도 행복이라는 지름길을 걷는다

글·사진 김대우

소중한 당신에게 전하는 햇병아리 신부의 행복 이야기

나무와달

추천사

모세 신부님의
'이야기식 복음'을 접하며

　김대우 모세 신부님의 첫 번째 책 발간을 진심으로 축하드립니다.
바쁜 사목생활 중에 글을 쓰신 것도 축하드릴 일이고 사목생활에서의
체험을 복음적 시각으로 바라보고 이를 독자들에게 나누어주고자 하
신 젊은 신부님의 용기에도 박수를 보내드립니다. 앞으로도 사목생활
속에서 발견한 보물들을 사람들에게 보여주며 함께 기뻐하기를 초대
하는 이런 책들이 계속 나오기를 바랍니다.
　저 개인적으로는 김 모세 신부님의 책을 접하며 기쁜 마음과 함께
부끄러운 마음까지 듭니다. 왜냐하면 젊은 신부님께서 사목생활 경험
을 바탕으로 책을 쓰셨는데, 사목생활을 오래 한 저는 감성적으로 느끼
는 것에서나 모든 것을 하느님의 눈으로, 복음적 시각으로 바라보는 믿
음생활에 있어서나 글 쓰는 재주에 있어서도 그런 경지에 오르지 못했
기 때문입니다.
　이 책은 김대우 모세 신부님께서 '하느님께서 우리와 함께 하고 계

시고 하느님 사랑이 우리 주위에 가득하다'는 것을 전하는 것입니다. 신부님께서는 생활 속에서 만난 하느님과 하느님의 사랑 때문에 기쁘고 행복했던 이야기를 나누어주심으로써 독자들을 '행복에로 초대'하십니다.

이 세상 모든 이는 행복을 추구합니다. 자신이 행복해지기를 원합니다. 그래서 저마다 행복을 찾아 애씁니다. 그런데 행복에로 이끄는 길이 그 수를 알 수 없으리만큼 많습니다. 그러다 보니 '장님이 장님을 이끄는 식'으로 세상 사람들을 '행복'에로 이끄는 경우도 많습니다. 모세 신부님은 자신이 행복했던 체험을 진솔하게 전해주시며, 독자들도 행복의 길을 함께 걷지 않겠느냐고 권유하십니다.

오늘날 지식과 정보는 넘쳐납니다. 하느님을 믿는 신앙생활도 지식적인 것에 대한 정보는 인터넷을 두드려보면 많이 얻을 수 있습니다. 그러나 오늘날 부족하고 아쉬운 것은 우리의 생활 속에서 만난 하느님을 보여주고 신앙인들이 자신이 믿는 바를 일상생활을 통하여 보여주는 구체적인 삶입니다. 그런 점에서 모세 신부님의 책은 오늘날 신앙인들에게는 물론이고 믿지 않는 사람들에게도 하느님을 믿는다는 것과 신앙생활이 무엇인지 이야기 식으로 재미있고도 감동적으로 들려줍니다.

퇴촌본당의 공소인 산북성당에서

최덕기 바오로 주교(수원교구 제3대 교구장)

행복은 그대 가까이

"신부님, 행복하세요?"

"그럼요. 행복하죠!"

"그런데 신부님은 왜 점점 말라가세요?"

"아, 그런가요? 너무 행복해서 그렇습니다. 하하하!"

몸이 바짝바짝 마르던 시절이 있었습니다.

학위 논문을 작성하는 데 영어권 자료가 필요해 영국에 머물고 있었던 2008년 여름방학, 교구청으로부터 전화가 걸려왔습니다. 아버지께서 위급하시니 귀국하라는 것이었습니다. 저는 급히 비행기에 올랐지만, 도착한 다음날 아버지 장례미사를 올려야 했습니다. 3주의 시간이 정신없이 흘렀고, 로마로 돌아와 허탈한 마음으로 새 학기를 맞았습니다.

아직 허한 마음도 추스리지 못했는데 논문 지도교수님께서 저를 부르셨습니다. 그리곤 지금까지 함께 진행했던 논문을 더이상 지도할 수 없다고 말씀하시는 것입니다. 청천벽력과도 같은 말이었어요. 놀란 것은 둘째 치고 분노가 일었습니다. 아무 말도 못하고 반쯤 쓴 논문을 책장 밑에 던져버리고 한 달 동안 방황을 했습니다. 못 먹는 술도 마셨고, 정신 나간 사람처럼 하루 종일 쏘다니기도 했습니다. 한 달이 더 흘렀고, 친구인 마리 아네스 수녀가 제 소식을 듣고 평신도 교수님을 소개시켜주었습니다.

며칠 후 테오도라 로시Teodora Rossi 교수님을 만났습니다. 그분은 제 상황을 듣더니 도와주겠다고 하셨습니다.

"모세, 어떤 주제에 대해 연구하고 싶어요?"

"성 토마스 아퀴나스가 설명하는 행복한 삶에 대해 글을 쓰고 싶습니다."

"그 주제는 방대한데 선택한 이유가 있나요?"

"저는 지금 행복하지 않기 때문입니다."

교수님은 묘한 웃음을 지으신 후, 함께 해보자고 하였습니다. 그로부터 또 1년이 훌쩍 지났습니다. 그리고 논문 평가가 끝난 종합시험장에서 로시 교수님은 제게 다음과 같은 질문을 하셨습니다.

"모세, 지금은 행복합니까?"

"……."

저는 대답하지 않고 치아가 환히 드러나게 한참을 미소 지었습니다.

교수님은 제게 다음과 같은 인사말을 건넸습니다.

"로마에서의 기억들이 행복하길 바라고, 한국에 돌아가거든 행복하세요."

고대 그리스 철학자들은(소크라테스, 플라톤, 아리스토텔레스) 행복eudaimonia에 관해 많은 관심을 갖고 논하면서 행복을 최고선으로 여겼습니다. 에피쿠로스주의자는 영육의 쾌락을 인간의 행복으로 이끄는 길로 보았고, 스토아학파는 행복이 금욕을 통한 미덕의 완성이라고 설명했습니다. 중세에 이르러 성 토마스 아퀴나스는 덕이란 선으로 향하는 인간의 습성이라고 정의하면서, 선을 행하는 것이 덕의 완성이며 행복한 삶으로 이끄는 지름길이라고 말했습니다.

인간은 사랑의 원천이신 신과의 일치를 통해서 완전한 행복에 이른다는 성 토마스 아퀴나스의 설명은 그리스도교 안에서 많은 공감을 얻었습니다.* 또한 역사 안에서 어떤 이들은 행복이란 자아를 실현하는 것, 도덕적인 의무를 수행하는 것, 인간의 바람과 목표들이 성취되는 것이라는 등 다양한 고견을 내놓았습니다. 이렇듯 행복이란 단어가 함축하고 있는 의미는 정말로 방대하며 행복을 실현하는 방법 또한 각양각색입니다.

여러분은 행복의 본질이 무엇이라 생각하고, 그 행복에 어떻게 이르고 계신지요?

행복은 책 속에 잠자고 있지 않고 일상의 삶 속에서 그 얼굴을 보여주며 미소 짓습니다. 우리 주변을 돌아보면 소소한 행복이 여기저기 숨어 있습니다. 행복 찾기는 그래서 꼭 보물찾기와 같습니다. 행복은 오랜 친구와 마시는 차 한 잔에도 담겨 있고, 어린이가 보낸 성탄 카드에도 적혀 있으며, 시골 할머니가 준 고구마에서도 맛볼 수 있습니다. 행복은 화해하기 위해 건넨 손의 온기로 전해지고, 힘든 내 사정을 안쓰럽게 보는 친구의 온유한 눈동자 속에도 보이고 아픈 이를 병문안 가는 발걸음에도 새겨져 있습니다.

---

* Cf. *La Somma Teologica*(신학대전), Domenicani italiani (edd.), vol. XXXV, ESD, Bologna 1985 (testo latino e trad. it), I-II, q. 2, a. 8.

이 부족한 책은 한 젊은 사제가 일상에서 찾아낸 행복에 대한 소소한 이야기입니다. 지난 발자국들을 돌아보니 그냥 스쳐 보내기엔 소중하고 잊히기엔 고귀한 사연과 추억들을 미약한 글로 옮겨보았습니다. 1부에서 5부까지 점진적으로 이야기하는 단편들은 행복이 추상적이거나 관념적이지 않고 구체적이고 현실적인 상황임을 보여줍니다. 행복은 멀리 있지 않고 바로 내 옆에 있으며, 책 속에 잠겨 있지 않고 눈앞에 펼쳐지는 역동적인 실재임을 드러내고 싶었습니다.

학생 신분을 벗어나 처음으로 삶의 현장에 봉사자로 파견되었습니다. 사제 생활은 제게 다양한 만남을 선물해주었습니다. 그런데 만나는 이들 대부분 한두 가지씩의 아픔과 말 못할 상처를 안고 살아가고 있었습니다. 그리고 세월의 흐름에 따라 쇠약해지고 병든 이들도 많았습니다. 번민과 고통이 있는 인간은 불행해 보입니다. 그러나 우리의 삶이 힘겹고 고되더라도 그 어딘가에 신이 마련하신 소박한 행복과 감동의 쉼터가 있다는 사실을 여러분에게 감히 말씀드리고 싶습니다.

행복한 추억들을 찾게 만들어주신 퇴촌성당 가족들과, 행복은 아낌없는 사랑임을 깨닫게 해주신 어머니에게 이 책을 바칩니다.

행복은 멀리 있지 아니하고 바로 그대 가까이에 있습니다.
사랑의 눈으로 옆을 바라보세요.

성탄을 기다리며

김대우 모세 신부

차례

◇◇◇

사람은 모두 순수했던 시절의 추억을 가지고 있습니다.
한때는 어린아이였기 때문입니다.
참된 행복은 순수한 마음을 되찾는 것으로부터 시작합니다.
예수님 말씀이 산들바람처럼 마음 위로 사뿐사뿐 지나갑니다.
"어린이들이 나에게 오는 것을 막지 말고 그냥 놓아두어라.
사실 하느님 나라는 이 어린이들과 같은 사람들의 것이다."

-루카 복음, 18장 16절-

1부

순수한 마음으로 돌아가기

코스모스
씨앗

"신부님, 이거 선물이에요."

한 유치부 어린이가 손바닥만 하게 접은 종이를 건네줍니다. 그 종이 위에는 활짝 핀 코스모스와 십자가가 그려져 있고, '코스모스'라는 단어가 하트 문양 안에 쓰여 있었습니다.

설레는 마음으로 종이를 열어보니 코스모스 씨가 담겨 있었습니다. 기분 좋아지고 마음 따뜻해지는 선물이었습니다. 무심코 어린이 미사 때 성당 정원을 꽃으로 수놓자고 제안했던 적이 있는데, 이 말을 귀담아 들은 한 어린이가 코스모스 씨를 가져온 것입니다. 미사 후, 곧바로 그 씨앗을 성당 정원에 뿌렸습니다.

그러고 나서 한동안 잊고 지냈던 여름 끝자락 어느 날, 성당 정원을 둘러싼 '십자가의 길'을 따라 산책하던 중 길가 이곳 저곳에 어린이 키 높이로 자라난 코스모스를 보았습니다. 여기저기 핀 코스모스 꽃 속에 그 유치부 어린이가 환하게 웃고 있었습니다.

　그로부터 몇 주 지난 화창한 가을날 오후, 저는 사제관 앞에서 자전거를 탈 채비를 하고 있었습니다. 마침 성당 후문 쪽에서 십여 명의 어린이들이 "신부님~"하고 부르며 달려왔습니다. 그 어린이들은 친구 생일잔치 하러 모였다가 성당으로 놀러왔다고 합니다. 그러고선 저더러 함께 놀자고 졸랐습니다. 저는 자전거를 타고 싶었지만 어린이들이 매달리기에 조금만 놀다 가야겠다고 생각하고 '얼음땡' 놀이를 함께하면서 정원에서 뛰어 놀았습니다. 그러다 정원에 핀 코스모스 길을 걷게 되었고, 어린이들에게 코스모스 씨를 모으자고 제안했습니다.

　어린이들은 고사리 같은 손으로 코스모스 씨앗을 모았습니다. 저는 사무실로 가서 씨를 담아둘 비닐장갑을 가져왔습니다. 우리는 아주 즐겁게 씨앗을 모아 그 비닐장갑에 담았습니다. 어느덧 비닐장갑 손가락 마디 마디에 씨앗이 가득 모였습니다. 그것을 집어 들고 우리 모두 함박 웃음을 지으며 흐뭇해했습니다. 그날 오후는 그렇게 자전거를 타지 않고도 그 이상의 즐거움을 느끼며 어린이들과 신나게 놀았습니다.

세월이 흘러 추운 겨울이 가고 따뜻한 바람이 살랑거리는 봄날이 왔습니다. 산에는 '졸졸졸' 물소리가 들리고 나무 가지 위에는 새들이 '짹짹짹' 지저귑니다. 언 땅은 녹아 싹이 움틉니다. 지난 가을 코스모스 씨앗을 모았던 비닐장갑을 넣어둔 책상 서랍을 열었습니다. 코스모스 씨앗들은 고맙게도 그대로 있었습니다. 그 씨앗을 성당에 온 어린이들과 함께 정원에 뿌렸습니다.

올 가을에도 코스모스가 알록달록 성당 정원을 수놓을 것입니다. 그리고 활짝 핀 꽃 속에 성당 어린이들이 해맑게 웃는 모습이 담겨 있을 것입니다. 정원을 거닐다 그 꽃들을 보며 어린이들의 이름을 한 명 한 명 불러야겠습니다. 그때 그 어린이들은 정말 꽃이 되겠지요. 사실 꽃이 피는 게 아니라 하느님께서 어린이들의 영혼에 심어놓으신 순수한 마음이 피는 것이겠지요.

세상에는 우리가 미처 알아보지 못하는 꽃이 있습니다. 작은 고사리 손에 담아 놀라운 기적을 가져온 한 유치부 어린이는 하느님께서 우리 공동체에 피워주신 하늘나라 꽃이었습니다. 그렇게 우리 모두는 하느님께 너무도 아름답고 소중한 꽃이 되어갑니다.

어린이들이
오는 것을 막지 마세요

첫 영성체 교리를 들으러 오는 아이들이 성당 정원을 수놓고 있습니다. 13명의 어린이들이 오후 다섯 시가 되면 성당으로 와서 마구 뛰어다닙니다. 굳이 시계를 보지 않아도 '아, 다섯 시구나~' 하고 알 수 있는 것은 아이들의 웃음소리와 뛰어다니는 소리 때문이지요.

장년층이 많은 퇴촌성당에서 이 아이들은 그야말로 5월에 피는 꽃이요, 귀엽게 풀 뜯는 토끼이자 나뭇가지 위에서 지저귀는 종달새입니다. 새들이 떠나간 숲은 적막하듯이 아이들이 없는 성당은 흐린 가을 하늘과 같습니다.

사제관 창문 아래에서 들려오는 아이들 기도 소리는 그야말로 천국의 교향곡입니다. 특별한 놀이를 준비하지도 않았고 맛있는 음식을 마련한 것도 아닌데 아이들은 행복합니다. 정치가 어떻게 돌아가든, 숙제가 얼마나 밀려 있든, 내일 날씨가 좋든 나쁘든 아이들은 별 상관이 없습니다. 그냥 이 순간을 즐겁게 뛰어다닙니다. 참 부럽습니다.

예수님께서는 일찍이 이런 말씀을 해주셨지요.
"어린이들을 그냥 놓아두어라. 나에게 오는 것을 막지 마라.
사실 하늘 나라는 이 어린이들과 같은 사람들의 것이다."(마태복
음, 19장 14절)

예수님께서는 하느님 나라가 우리 가운데 있다고 하셨는데
우리는 너무도 멀리서 하늘나라를 찾는 것은 아닐까요?

5월에는 어린이날이 있습니다. 문득 왜 어린이날을 기념하
며 보내는 것일까 하는 물음이 생깁니다. 많은 이유와 취지가
있을 것입니다. 어쩌면 이 어린이날을 통해서 오히려 어른들이
어린이의 마음을 다시 가져볼 수 있는 것은 아닐까 하는 생각
이 듭니다. 왜냐하면 우리는 모두 순수했던 시절에 대한 동향
을 가지고 있기 때문입니다. 때론 어린이처럼 아무 걱정 없이
들판에서 뛰고, 민들레꽃을 따서 바람에 날려보내며 신이 나
고, 아이스크림 하나만으로 세상을 다 얻은 듯한 미소를 지니
고 싶습니다. 어린이처럼 말이죠.

성당에서 뛰노는 어린이들을 보면서 문득 상념에 젖습니다.
저들이 기쁘게 놀 수 있는 이유는 그 뒤에 부모님이 있기 때문

이겠지요. 부모님이 그들을 지켜주고 바라봐주기에 어린이들은 아무 걱정 없이 뛰놀 수 있습니다.

어느덧 우리는 세상에서 홀로서기를 해야 하는 어른이 되었고, 세상살이 회오리 속에서 좌절과 배반, 실패를 경험했으며, 세상의 일들이 순순히 이상대로만 흘러가지 않는 체험을 했습니다. 그렇기에 우리는 아무 걱정 없이 들판에서 꽃을 따다 나비를 좇아 다니던 어린 시절의 순수함을 아이들을 통해서 되찾고 대리만족을 하고 있는지도 모릅니다.

신앙인들에게 순수했던 시절에 대한 동경은 바로 예수님의 성심에 머무는 시간을 향해 있습니다. 우리 모두는 예수 성심 아래서는 어린아이이기 때문입니다. 우리가 아무리 어른이라 할지라도 그 누군가에게 기대어 쉬고 싶어 하는 하늘나라 어린이이기 때문입니다.

세상 걱정을 잠깐 뒤로하고 어른들도 성당 마당을 마구 뛰어다녀보면 어떨까요? 그러다 예수님, 성모님 얼굴을 마주치면 잠시 멈추어 손을 모으고 기도를 올리게 되겠지요. 예수성체성혈대축일이 기다려집니다. 첫 영성체를 준비하는 어린이들이 예수님을 모시는 그 기적을 눈으로 볼 테니 말이에요.

꼬마숙녀와의
데이트

전화벨이 울렸습니다.

"신부님, 지금 시간 되시나요? 손녀를 꼭 만나주셨으면 좋겠는데요?"

"무슨 일이시지요?"

"오늘 손녀딸이 슬픈 일을 겪었는데 신부님께서 좀 만나주시면 괜찮아질 것 같아서요."

올해 초등학교 1학년인 꼬마숙녀는 할머니와 함께 삽니다. 그렇게 되기까지의 사연은 굽이굽이 흐르는 강물처럼 깁니다. 저를 만나러 온 날 오전에 이 아이는 서울에서 일하시는 아빠를 오랜만에 만나러 갔습니다. 그런데 아빠가 너무 바빠서 딸아이와 제대로 이야기도 나누지 못했나 봅니다. 그래서 꼬마숙녀는 외로움과 실망감 등 여러 감정으로 뒤섞여 슬펐고, 저를 찾아온 것입니다.

이 꼬마숙녀와 친해지게 된 계기가 있습니다. 어느 날 미사 후 교우들과 다과를 나누다 술을 한잔 하게 되었습니다. 저는 술이 약해 한두 잔에도 얼굴이 빨개지는데 그날은 유난히도 빨개졌습니다. 하필 이날 마당에서 이 꼬마숙녀가 저를 보고 "신부님, 왜 얼굴이 그렇게 빨개요?" 하는 것입니다. 저는 술을 마셨다고 말하기가 망설여져서 "너는 그것도 모르니? 좋아하는 사람을 보면 얼굴이 이렇게 되는 거야"라고 얼버무렸습니다.

그리고 며칠 후 이 꼬마숙녀는 미사 전에 저를 빤히 바라보더니 이렇게 묻는 것입니다. "신부님, 그럼 지금은 왜 얼굴이 빨갛지 않아요?" 너무도 순수한 이 꼬마숙녀 때문에 너털웃음이 절로 나왔습니다. 그렇게 우리는 친한 사이가 되었고 힘든 일이 있으면 서로 오가는 사이가 되었던 것입니다.

"오늘 안 좋은 일 있었어?"

"네, 아빠가 아주 바빠서 이야기도 별로 못했어요."

"그랬구나. 아빠가 너를 위해 열심히 일하시는 거니까 우리가 이해하자. 대신 오후에 신부님이랑 영화 보고 맛있는 거 먹으러 갈까?"

"네~ 좋아요!"

그렇게 꼬마숙녀와의 첫 데이트가 이루어졌습니다. 아이의 기분이 나아지는 듯하여 마음이 좀 놓였습니다. 우리는 최신 유행하는 '악동뮤지션'의 〈크레센도〉라는 노래를 함께 따라 부르며 영화관에 갔습니다.

그런데 티켓 예매 기계 앞에서 얼굴이 굳어졌습니다. 저는 〈마이 리틀 히어로〉라는 영화를 보고 싶은데 꼬마숙녀는 다른 영화를 보고 싶어 했기 때문입니다. 꼬마숙녀가 보고 싶어 하는 영화는 〈주먹 왕 랄프〉였고 제목조차도 유치한 그런 영화였죠.

절대로 제 원의를 굽힐 수 없어 그녀를 설득했습니다. 소용이 없더군요. 여기서부터 우리 둘은 서로의 주장을 고수했고, 둘 사이에는 차가운 기류가 흘렀습니다. 그녀는 착한 고양이처럼 저를 바라보며 팔을 흔들어댔습니다.

"신부님, 〈주먹 왕 랄프〉 봐요!"

꼬마숙녀의 눈을 바라보며 저는 뼈를 깎는 마음으로 결국 〈주먹 왕 랄프〉 티켓을 두 장 끊었습니다. 꿍한 마음으로 팝콘과 음료를 들고 영화를 기다렸습니다. 그러다 거울에 비친 우리 둘의 모습을 보았는데 표정이 상당히 대조적이었습니다. 한쪽은 승리의 찬가를, 한쪽은 우울 모드였습니다. 그래도 이 어린이를 위로해주기 위해 온 거니까 '내가 참아야겠다'라고 마음을 추슬렀습니다.

4D 영화라는 것에 위안을 삼고 우리는 영화관 좌석에 앉아 특수안경을 착용했습니다. 곧이어 영화가 시작되었습니다. 그런데 예상치 못한 일이 벌어졌습니다. 영화가 너무나 재미있는 것이었습니다. 거기에다 물도 뿌려대고 좌석도 이리저리 움직이고 주인공이 하늘을 날 때면 우리도 나는 기분을 느꼈습니다. 4D 영화를 처음 본 저는 그야말로 '흥미진진'했고 소리까지 질러댔습니다. 그런 저를 보고 이 꼬마숙녀가 한마디 던졌습니다.

"뭐에요! 아까는 우울해하더니 나보다 더 신나 하잖아요. 꼭 애 같아요."

"너, 정말 영화 볼 줄 아는 눈이 있구나. 오늘 아주 잘했어!"

우리는 놀라움과 4D 영화에 대한 경이로움을 안고 영화관을 나왔습니다. 긴 여운을 가지고 엘리베이터를 타고 내려오면서 바깥으로 펼쳐진 야경을 어깨동무하며 함께 바라보았습니다.

"우리 친한 친구 할래?"

"그거 하면 뭐 하는 거예요?"

"힘든 일 있으면 서로 이야기하고 기도해주는 거지."

사람꽃

청아한 새벽바람 고요한 성당 정원을 거닐 때

십자가길 따라 곱게 핀 코스모스

가만히 들여다보니

발그레 보고픈 얼굴이 웃고 있었지

뒤에서 몰래 손을 모으고 눈을 감았더니

내 앞에 꽃이 있더라

사람이 꽃이었네

사랑이 꽃을 보았네

그대 내게 꽃이 되었네

어린
스승

아름다운 계절 4월에는 산과 들에 잎사귀가 기지개를 펴고 봄꽃이 피어납니다. 교우들이 마음을 모아 각자 집에서 가져온 꽃들과 야생화를 성당 정원으로 옮겨 심었습니다. 이틀이 지난 후 하느님께서는 봄비를 내려주셨어요. 봄비가 내릴 때 교우들 모두 감사와 기쁨의 얼굴로 퇴촌성당의 꽃이 되었습니다.

그 꽃 중에서 유독 발랄하고 순수한 꽃이 있습니다. 바로 초등부 어린이들입니다. 토요일 오후 미사 후 성당 정원에서 마구 뛰어 노는 그들은 마치 봄 나비가 꽃들을 옮겨 다니는 모습과 같습니다.

어린이들은 우리 모두에게 스승입니다. 주일 미사 강론을 준비하다가 궁금증이 이는 성경 말씀의 뜻을 어린이들에게 물어보면 아주 통쾌하고 단순하게 대답해줍니다.

"어린이 여러분, 부활하신 예수님께서 갈릴레아 호숫가에 나

타나셨어요. 제자들은 그분께서 예수님이신 줄 몰랐어요. 예수님의 십자가 죽음을 목격한 제자들은 절망과 두려움으로 고향 갈릴레아로 돌아가 다시 물고기를 잡습니다. 그러나 밤까지 고기를 잡았지만 아무것도 잡지 못했어요. 어부 일을 수십 년 동안 한 그들이 왜 고기를 못 잡았을까요?"

한 아이가 손을 들고 대답합니다. "예수님께서 함께 계시지 않아서요." 정말이지, 통쾌한 대답입니다. 우리가 살아가면서 메마른 신앙 생활을 하며 기쁨과 평화, 사랑 등 성령의 열매를 맺지 못했을 때를 돌아보면 예수님과 멀어져 있었다는 사실을 깨달을 수 있습니다. 예수님 없이는 어떤 고기도 못 잡습니다. 왜냐하면 우리는 사람 낚는 어부가 되었기 때문입니다.

예수님께서는 말씀하십니다. "그물을 배 오른쪽으로 던져라. 그러면 고기가 잡힐 것이다."(요한 복음, 21장 6절) 그랬더니 제자들은 그물을 끌어 올릴 수 없을 정도로 많은 고기를 잡았습니다.

저는 다시 어린이들에게 물었습니다. "어린이 여러분, 예수님께서 왜 그물을 배 오른편으로 던지라고 하셨을까요? 왼편이나 다른 곳에 그물을 던질 수도 있잖아요?"

한 어린이가 손을 들고 대답합니다. "오른쪽에 고기가 많아서요." 참으로 맞는 말입니다. 오른쪽에 고기가 많아서예요. 우리는 삶의 현장에서 얼마나 자주 고기가 없는 왼편에 그물을 던져왔습니까?

결코 남을 용서하지 않는 살얼음 같은 사람들, 놓아주지 못한 어둠의 감정들, 붙잡아둔 화롯가 욕심들, 털어내지 못했던 비난과 잿빛의 말과 눈초리, 그리고 세상의 가치들에 수없이 그물을 던졌습니다. 그물에 든 것들은 우리의 영혼 깊이 아무것도 채워주지 않았습니다. 그렇다면 우리가 던져야 할 그물의 방향은 어느 쪽입니까?

어린이들은 말합니다. 고기가 많은 곳으로 그물을 던져야 한다고. 고기가 많은, 그물의 오른쪽은 어디입니까? 세상의 가치가 아닌 천상의 가치들이 있는 곳입니다. 육의 행실이 아니라, 성령의 열매가 맺히는 곳입니다. 육의 행실이란, 갈라디아 5장의 말씀처럼 '우상숭배, 적개심, 이기심, 불륜, 분열, 만취, 분쟁' 등이며, 성령의 열매란 '사랑, 기쁨, 평화, 인내, 친절, 온유, 선의, 호의'입니다. 우리가 그물을 던져야 할 곳은 바로 이쪽입니다.

"신부님도 예수님과 함께 고기가 많은 오른편에 그물을 던지세요. 그러면 신부님도 고기를 많이 잡게 될 거예요."

"애들아, 그렇게 할게! 너희가 나의 참 스승이구나."

은총잔치

"신부니임~ 은총표 주세요!"

애절하게 부르며 동그란 눈을 크게 뜨고 수단 자락에 아이들이 매달립니다. 이유는 하나, 은총표를 달라는 것입니다. 은총표는 명함 크기만 한 종이로, 성경 말씀과 예수님 얼굴이 그려져 있는데 이 은총표가 어린이들에게 소중한 이유는 은총잔치 때 화폐처럼 쓰이기 때문입니다.

교회 전례력으로 한 해가 마무리 되는 시점, 초등부 주일학교는 은총잔치를 준비합니다. 한 해 동안 열심히 신앙 생활을 한 아이들은 은총표를 받아서 모아두었다가 은총잔치 때 성물과 학용품 그리고 생필품과 먹거리를 살 수 있습니다. 어떻게 보면 한 해 신앙살이를 돌아보는 시간이기도 하지요.

단 은총표를 받기 위한 조건이 있습니다. 기본적으로 주일 미사와 교리 시간에 참석하면 각각 한 장씩 받습니다. 매달 가정 주일과 평일 미사에 나오면 은총표 한 장, 선행을 할 때, 그리고 친구를 성당에 데려올 때, 그 밖에도 칭찬받을 만한 일을 했을 때도 은총표를 받습니다.

이를 좀 분석해보면 깊은 의미가 있습니다. 매일 미사에 참 례하는 어린이들에게 성체성사의 중요성을 알려줄 수 있고, 교리 시간에는 하느님 말씀을 되새깁니다. 또한 어린이들이 친구 에게 예수님을 전해주고 선행을 행하면서 사랑은 곧 실천이라 는 것을 배울 수 있습니다. 따라서 이 모든 것이 어린이의 신앙 교육을 위한 의미 있는 행사가 됩니다.

은총잔치를 열려면 선생님들과 학부모님들의 도움이 필요합 니다. 우선 선생님들은 어린이들에게 필요한 상품을 등급별로 구입합니다. 자전거부터 필통, 크레파스, 액세서리, 볼펜, 공책 등 다양합니다. 먹거리는 잔치에 참여한 모든 어린이들에게 무 료로 줍니다. 자모회 어머니들이 음식을 준비하고 아빠들은 군 고구마를 굽거나 솜사탕을 만듭니다. 저 또한 소장하던 성물을 내놓습니다. 제가 하는 일은 은총표 없이 빈 손으로 슬퍼하는 어린이들 손에 조용히 은총표를 쥐여주는 것입니다. 이때 그 어린이는 뭐라 말할 수 없이 행복한 표정을 짓습니다. 우리 둘 사이에는 사랑이 강물처럼 흐릅니다. 은총잔치에서는 은총표 가 최고입니다.

그토록 기다려온 은총잔치가 열리면 저마다 일 년 동안 모은 은총표로 자기 장바구니를 채웁니다. 은총표를 많이 가진 어린이는 좋아하는 상품을 한아름 안고 행복해하며, 적게 가진 어린이는 몇몇 상품 앞에서 무엇을 고를까 고심합니다. 이때 진풍경이 벌어지는데 은총표가 없는 친구들이 많이 가지고 있는 친구들에게 사정을 하며 애걸하는 모습입니다. 마치 복음서의 열 처녀 비유처럼 기름을 미리 가지고 준비한 5명과 준비하지 않은 다른 5명의 모습이 눈앞에 펼쳐집니다. 등잔의 기름을 준비한 슬기로운 5명은 신랑과 함께 혼인잔치, 즉 하늘나라에 들어가게 되지요.

은총잔치는 마치 심판의 날 우리 모습의 축소판 같습니다. 심판의 날을 슬프게 보낼 것인가, 아니면 축제처럼 보낼 것인가? 그것은 신앙 생활 안에서 우리가 모은 은총표에 달려 있습니다.

교회 전례력으로 보면 11월은 한 해를 마무리하는 시점입니다. 또한 세상에 오실 구세주를 기다리는 시기이기도 합니다. 우리 마음의 보석상자에는 은총표가 얼마나 있을까요? 예수님께서는 지금 설레는 마음으로 신이 나 계십니다. 많은 선물을 준비해놓고 우리를 기다리고 계시거든요.

"예수님, 은총표 주세요!"

Sei
Bravissima!

따뜻한 포옹을 해본 적이 언제인가요?

꽃향기 풋풋한 5월 어느 날, 한 부부가 평일 미사에 참례하였습니다. 머리카락이 다 빠진 초췌한 모습의 남편, 그리고 그를 부축하는 아내의 모습에서 이 부부의 고통을 짐작할 수 있습니다. 미사 중 평화의 인사를 나누는데 아내가 남편을 포옹해줍니다.

한적한 토요일 오후, 한 어린아이가 성당 마당에서 뛰어 놀다가 넘어집니다. 아이가 엉엉 울어요. 엄마는 달려가 그를 꼬옥 안아줍니다.

기도 중에 마음 저 깊은 곳으로부터 하느님의 말씀이 울려옵니다. 그러면 어제 큰소리를 내며 다툰 친구의 방을 두드립니다. "내가 심한 말을 해서 미안하다." 그러자 친구는 저를 안아줍니다. 가슴 뭉클하고 마음 따뜻해지는 순간입니다.

포옹은 어떤 말도 할 필요 없이 하느님의 선을 원하는 이들에게 그분의 사랑을 알려주기 위해 만들어주신 하느님의 선물입니다. 우리는 살아가면서 포옹을 얼마나 하면서 살아갈까요?

아름다운 추억 하나가 떠오릅니다.

로마에서 유학 생활을 시작한 지 두 해가 흘러 여름방학을 맞은 때였습니다. 페루자 교구 스피나Spina라는 본당에서 3개월 동안 사목 체험을 한 적이 있습니다. 동양에서 온 사제를 처음 만나본 이탈리아 신자들은 신기함 반, 호기심 반으로 저를 관찰했습니다.

십여 일 지나 한 가정으로부터 저녁식사 초대를 받았습니다. 그리고 그 가정은 제게 오토바이를 빌려주었습니다. 자연스레 그 집에 자주 왕래하게 되었고, 3대에 이르는 가족들과 친분이 깊어졌습니다. 그 가정에는 레티지아와 프란체스카, 소피아라는 딸 세 명이 있었습니다. 두 딸은 이미 성인이어서 저의 어눌한 이탈리아어를 그럭저럭 이해해주며 대화를 나누었습니다.

그러나 유독 초등학교 1학년인 소피아는 제가 자기의 집에서 식사하는 것조차 싫어했습니다. 이탈리아어도 어눌하고 삐쩍 마른 동양인이 자기의 보금자리를 어슬렁거리는 모습이 싫었나 봅니다. 제가 그 집을 방문하면 할머니와 부모님, 언니들이 모두 제게만 관심을 기울인다는 점 또한 그 아이의 기분을 언짢게 했을 것입니다.

어느 날 식사를 하는데 제가 달콤한 케이크에 포크를 갖다 대니, 글쎄 저더러 "역겨워Che schifo!"라고 하지 뭡니까! 평소 잘 안 들리던 이탈리아어 욕은 왜 그리도 잘 들리던지……. 얼굴은 오드리 햅번처럼 예쁜데 성질은 그야말로 멧돼지처럼 못된 아이였습니다. 무엇보다도 이 어린아이 하나 너그럽게 받아들이지 못하는 제 자신에게 화가 났습니다.

어쨌든 저도 오기가 있는 사람인지라 문전박대를 당하기는 싫고 소피아와 친해지기 위한 작전을 세웠습니다. 우선 먼저 다가가서 인사하고 일상사에 대한 말 걸기를 시작했습니다.

"소피아, 오늘은 학교에서 무엇을 배웠니? 선생님은 좋으니? 너는 어떤 TV 프로그램을 좋아하니?"

그런데 소피아는 대답해주기는커녕 저의 어눌한 이탈리아어 발음을 신경질적으로 교정해주는 게 아니겠습니까? 무안과 좌절을 느끼는 순간이었습니다.

저는 두 번째 작전에 돌입했습니다. 바로 선물 공세였습니다. 한국 전통 문양이 새겨진 작은 열쇠고리와 예쁜 주머니, 그리고 인형이 달린 볼펜과 학용품을 소피아에게 주었습니다. 이

번엔 조금 통하는 듯했습니다. 저쪽 구석에서 그것들을 요리조리 살펴봅니다. 이제 '마음이 열렸구나' 내심 기뻐하는 순간, 그녀는 여지없이 그 선물을 한쪽으로 던져버립니다.

화가 머리끝까지 오르지만 '여기서 포기하면 안 된다'는 일념으로 세 번째 작전을 펼쳤습니다. 바로 '무관심을 위장한 관심 작전'입니다.

소피아 집에 초대를 받으면 저는 부모님과 언니들과 아주 다정스레 인사하고 요리도 하고 노래도 같이 부릅니다. 일부러라도 재미있고 즐거운 모습을 보입니다. 그리고 소피아에게는 아무런 말도 건네지 않고 관심도 기울이지 않습니다. 다른 가족들은 저와 아주 잘 지내는데 자기만 저에게 나쁘게 대해서 혼자가 된 느낌을 갖도록 하기 위해서지요.

소피아는 홀로 외로이 놀다가 체념한 듯 TV를 켭니다. 그러자 엄마가 모세 신부 왔으니 TV를 끄라고 나무랍니다. 그녀가 조금 불쌍해 보입니다. 미안한 마음이 들지만 친해지기 위해 아픔을 감수해야 했습니다. 전 공들인 이번 작전의 마지막을 장식할 무엇인가를 하느님께 청해보기로 했습니다.

며칠이 흘렀습니다. 어느 주일 날, 소피아는 처음으로 미사 복사를 서게 되었습니다. 그렇게 우리 둘은 원수가 외나무 다리에서 만나듯 제의방에서 만났습니다. 그런데 소피아 혼자 와 있는 것이었습니다.

"다른 친구들은 안 왔니?"

"네."

소피아는 퉁명스럽게 말했지만 긴장한 모습이 역력했습니다. 처음 복사를 서는 소피아가 좀 걱정이 되었습니다. 입당성가가 불리고 드디어 미사가 시작되었습니다. 소피아는 실수를 하기 시작합니다. 어디에 앉는지, 인사는 언제 하는지 몰라 허둥지둥합니다. 앞에 앉은 신자들은 그녀에게 손짓도 하고 작은 소리로 주문을 하기도 했습니다. 소피아는 당황하기 시작합니다. 독서 시간이 되자 울상이 되어 자리에 앉은 그녀에게 속삭였습니다.

"내가 하는 대로 따라 하렴."

그런데 봉헌예절 때, 소피아는 패닉 상태가 돼버리고 말았습니다. 제가 손 닦을 물을 가져오라고 손 닦는 동작을 보여주었는데 글쎄 소피아가 자신의 손을 닦아버리고 만 것입니다. 아휴, 정말 '맘마미아'였습니다.

이후에도 그리도 콧대 높고 잘난 소피아는 실수를 여러 차례 했습니다. 그리고 저 멀리 엄마의 안타까운 눈총을 받으며 미사를 마치고 제의방으로 퇴장하게 되었습니다. 소피아는 손대면 톡 하고 울음이 터질 것만 같은 표정을 짓고 있었습니다. 쥐구멍이라도 있으면 숨고 싶었을 바로 그 순간, 하느님께서 드디어 제게 기회를 주셨습니다.

저는 엄지손가락을 펼쳐 보이며 소피아에게 이렇게 말했습니다. "Non ti preoccupare. Sei bravissima! (괜찮아, 너무 잘했어! 최고야!)

그리고 양팔을 벌렸습니다. 그러자 소피아는 울면서 제게 꼬옥 안겼습니다.

그날 포옹으로 우리는 둘도 없는 친구가 되었습니다.

그 후 소피아는 제가 초인종을 누르면 가장 먼저 나와 문을 열어주고 안기는 사람이 되었습니다. 그리고 그녀는 제가 이탈리아를 떠날 때 가장 슬퍼해주었습니다.

세월이 흘렀습니다. 5년이 지난 후, 우리 성당 성지 순례단은 이탈리아 아시시를 방문했습니다. 아시시는 소피아가 살고 있는 스피나에서 한 시간 정도 떨어진 도시입니다. 소피아 가족은 제 소식을 듣고 차를 몰아 호텔로 달려왔고 우리는 지난 이야기들을 늦은 밤까지 나누었습니다.

소피아는 어느덧 예쁜 중학생으로 성장해 있었습니다. 그녀는 작별인사를 하면서 과거 제의방에서 그랬듯 저를 포옹해주었습니다. 그리고 제게 말했습니다.

"Sei bravissimo!"

내 안의 나를 찾아

따스한 봄바람 손을 건네어 잠든 숲을 쓰다듬고

촉촉한 봄비 팔 벌려 대지를 깨웁니다

세상살이에 잊고 살았던 내 안의 나를 찾아 떠난 여정

샛별을 만나 새벽을 여니 존재 깊은 곳에 사랑 물결 일렁입니다

신이 선물한 오래 전 달란트 이제서야 꺼내 내적 성찰로 씻어봅
니다

내 안의 참모습 웅크린 씨앗처럼 눈을 감고 있으니

섭리의 빛을 부여잡고 어서 일어나 걸어가세요

푸르른 문이 열리고 희망의 꽃길이 손짓해요

예기치 못한 검은 먹구름이 하늘을 가려 두려운가요

희망을 가지면 무지의 구름 넘어 환희의 빛이 쏟아져요

주어진 운명이 거센 파도처럼 목적지로 향하는 의지를 꺾어버리
나요

님을 향한 믿음으로 풍랑은 잔잔해지고 바다 끝 새로운 세상이

보일 거예요

　오래 전 상념들이 세찬 바람처럼 새로운 발걸음을 막아서나요

　그대를 바라보는 사랑의 끈을 놓치지 마세요

　바람 부는 감성과 일렁이는 이성 사이에서 님이 두 손 잡아주시니

　그대 안의 참나는 꽃망울을 터트립니다

◇◇◇

가슴 깊이 사랑했는가
아낌 없이 용서했는가
마음 다해 희생했는가
과오의 책장들이 넘어가고 죄책감이 미완성 수묵화처럼 번져갈 때
갈릴레아 봄바람이 건네준 추억의 단편 조각들이 맞춰진다
영혼 깊이 울려오는 고백, "주님 저는 죄인입니다"
님의 목소리가 들려요,
"두려워하지 마라. 너는 이제부터 사람들을 낚을 것이다"

2부

상처 입은 나를 안으며

첫
고해

첫 고해성사를 기억하십니까?

묘한 긴장감과 약간의 두려움을 품고 고해소 앞에서 기다리고 있었죠. 그리고 범한 죄를 성찰하고 메모지에 숫자를 달아가며 죄목을 적어보았습니다. 교리 선생님께서 알려주신 고해성사 방법을 머릿속으로 그리며 심장이 뛰는 소리가 귀에 들릴 즈음, 내 앞에 고해소 문이 열렸었죠. 그 문이 천국으로 가는 문이란 걸 그때는 몰랐습니다.

성탄 때 세례를 받은 영세자들이 첫 고해를 했습니다. 안타깝지만 몇몇 새 영세자는 성체성사와 고해성사를 통한 하느님의 은총을 온전히 체험하지 못하고 있었습니다. 그렇습니다. 많은 분들이 고해성사에 대해 약간의 두려움을 가지고 있고, 일 년에 두 번 응당 해야 하는 판공성사를 형식적인 의무로 치부하고 있습니다. 진정한 내적 성찰 없이 이루어지는 성사는 메마른 신앙 생활로 귀결되고 맙니다.

그러나 우리의 풍요로운 영적인 삶을 위해 '하느님과의 올바른 관계'(1고린토, 6장 11절), 우정과 사랑의 관계를 통해 가슴 깊이 느끼는 용서와 자비에 대한 체험은 꼭 필요합니다. 이를 통해 우리는 하느님의 자비로운 마음을 배워 형제들 간에 서로 용서할 수 있기 때문입니다.

고해성사란 단순히 사제 앞에서 형식적으로 죄를 고백하고 그 순간이 빨리 지나가길 바라며 해치우는 밀어둔 숙제가 아닙니다. 고해성사는 나를 천국으로 데려가기 위해 애쓰시는 하느님을 만나는 시간입니다. 하느님과 내가 진정으로 화해하고 죄로 멀어졌던 하느님과의 서먹서먹한 관계를 다시 회복시키는 화해와 용서의 성사입니다. 고해소가 두렵거나 꺼려지는 곳인가요? 아니면 영적인 위안과 생명의 활력을 다시 찾는 신비의 장소인가요?

고해소 앞에 서신 당신에게 다음의 대화를 들려주고 싶습니다.

"부모님 원망하고 미워했어요."

"괜찮아."

"저, 남의 물건 훔친 적 있어요."

"괜찮아."

"거짓말 한 적 있어요."

"네가 진실하게 고백했으니 지금까지의 일들은 전부 괜찮단다."

"신부님, 죽고 싶어요."

그러자 예수님께서 말씀하십니다.

"그것만은 안 돼. 너는 내가 목숨을 내주고 구한 소중한 사람이거든!"

우리는 이러한 하느님의 말씀을 듣기 위해 고해소로 갑니다. 진정 그분의 말씀을 듣게 되면 우리는 달라집니다.

10년 전 한 달 피정 중에 총 고해를 했습니다. 성찰하는 내내 저는 어린 시절의 많은 죄까지 기억이 났고 그 악행들을 들추어보는 것이 몹시나 힘들었습니다. 악마는 저를 유혹했고 '그러한 죄를 지은 너는 이제 끝이다. 네가 무슨 사제가 될 자격이 있느냐?'라고 속삭였습니다. 벼랑 끝으로 내모는 악마들을 보면서 저는 과거의 죄를 끌어안고 힘껏 뛰어내렸습니다. 그렇게 총 고해를 1시간 남짓 하였습니다. 영성지도 신부님께서는 따뜻한 미소로 저를 반겨주시며 벌거벗은 제 영혼에 자비로 수놓아진 겉옷을 입혀 안아주셨습니다.

그런데 놀랍게도 성령의 바람은 그 죄를 다 날려버리고 가벼운 영혼으로 자유롭게 비상하게끔 해주었습니다. 하느님께서는 천사들을 보내주셔서 한 죄인을 받아주시는 듯하였습니다. 죄를 고해하고 하느님께서 하신 말씀은 제 영혼에 새겨져 잊히지 않습니다.

"괜찮아, 네가 그런 것이 아니야. 원수가 그랬구나."

영성지도 신부님께서 들려주신 말씀이 가슴 깊이 메아리칩니다.

"인간의 회개는 걸어오지만 하느님의 자비는 달려옵니다."

분노에 더디시고 한없이 자비하신 하느님의 마음을 체험하게 되면 우리는 내 자신을 용서하지 않을 수 없습니다. 그리고 내 옆에 있는 형제자매를 용서하지 않을 수 없습니다. 왜냐하면 나를 용서하시기 위해 기다리는 하느님의 눈을 보았기 때문입니다.

우리는 아직도 누군가를 사랑하고 있습니다. 더 사랑하기 위해서 나와 이웃을 용서할 수밖에 없습니다.

자비에로 초대

영혼의 모퉁이 보이지 않는 어둠이 거슬리고
마음속 저편 찔린 가시 하나 아려옵니다
뼈를 깎는 성찰로 바라보았어요
가녀린 영혼은 눈물로 신 앞에 홀로 남겨지고
감은 두 눈으로 흐르는 회개의 이슬방울들
모아모아 자비의 대전에 봉헌합니다

창 틈으로 빗소리가 들려요
모든 것이 씻겨지도록 눈을 감아 손을 모아요
가슴 깊이 사랑했는가
아낌 없이 용서했는가
마음 다해 희생했는가
과오의 책장들이 넘어가고 죄책감은 미완성 수묵화처럼 번져갈 때
갈릴레아 봄바람이 건네준 추억의 단편 조각들이 맞춰집니다
영혼 깊이 울려오는 고백, "주님 저는 죄인입니다"

님이여 부디 자비를 베풀어주소서
님이여 평화를 내려주소서

사랑바다 한가운데로 가도록
온유한 눈빛으로 말해주세요
'네가 그런 게 아니야, 네가 나빠 그런 게 아니야'
주어도 주어도 아깝지 않은 사랑이여
눈에 넣어도 아프지 않은 사랑이여
잊어도 잊히지 않는 내 사랑이여
천대에 이르도록 한없이 자애로운 신의 자비를 청하며
그대를 휘감아 천상의 뜨락으로 모셔갈래요
아파하지 마세요, 두려워 마세요
새 생명이 움트는 어머니 품에서 그대를 맞이할게요

죄 많은
사제

지난 짧은 사목 생활을 돌아보면 내 자신이 밉고 후회스러울 때가 많습니다. 교우분들에게 미안하고 죄스러운 마음이 들어 잠을 설칠 때가 많습니다. 그 시간들을 돌아보며 하느님 앞에 무릎을 꿇습니다.

- 미사 중에 핸드폰이 울렸습니다. 한 어르신이 신형 스마트폰 사용을 잘 몰라 그랬는데 저는 화를 내고 말았습니다. 그리고 공지사항 때 모든 신자에게 긴 잔소리를 했습니다.
- 성주간 전례 때, 제가 실수를 했는데 오히려 전례봉사자들에게 준비 잘하라고 책임을 떠넘겼습니다.
- 학생들이 미사 중에 노래를 부르지 않자, 성가책을 두 손 높이 올리라고 큰소리를 쳤습니다.
- 본당의 날 행사, 몇 가지 일이 순조롭게 이루어지지 않자

그 자리에서 사목위원들에게 꾸지람을 했습니다. 그냥 격려하고 넘어간 뒤에 평가회 때 더 좋은 방향을 제안하면서 '내년에 잘하자'고 할걸 그랬습니다.

- 한 봉사자가 신부님과 일하는 것이 쉽지 않다고 하자, '나도 당신과 무엇인가를 하는 것이 쉽지 않다'고 상처를 주었습니다. 정말 미안합니다.

- 교리교사 몇 분이 사정이 생겨 동시에 그만두자, 서운한 감정을 표현하며 그분들의 인사를 받지 않았습니다.

- 교중미사 후, 한 신자분이 고해성사를 청해왔습니다. 아무리 바빠도 정성스레 맞아야 하는데, 투덜거리면서 고해소에 들어갔습니다.

- 고해소에 어떤 분이 들어오셔서 말이 없었습니다. 듣지도 못하고 고해 방법을 잘 모르는 사람이 우물쭈물한 것입니다. 친절하게 가르쳐줄 수도 있는데 나가서 다시 숙지해서 오라고 면박을 주었습니다. 정말 미안합니다.

- 경제적으로 어려운 사람이 찾아왔습니다. 진심 어린 마음으로 그를 도와주려 하지 않고 값싼 동정으로 돈 몇 푼 쥐여주고 돌려보냈습니다.

- 몇몇 어린이가 성당에서 뛰어 놀다가 자라는 꽃을 밟아버

렸습니다. 조용히 타일러도 되는데 정원의 풀을 다 뽑으라고 화냈습니다.

- 성당 유리창이 깨졌습니다. 한 어린이가 그랬다는 걸 알았습니다. 어린이가 잘못했다고 했기에 다시는 그러지 말라고 주의를 주면 끝나는 것을, 유리창 값 안 주는 그 가족을 미워했습니다.

- 공사 관계자들이 일을 제대로 안 하자 시설분과장님에게 전화해서 화풀이 했습니다.

- 교우들에게 경건한 마음으로 성체를 영해야 한다고 가르치면서 정작 저는 한 교우를 용서하지 못하고 미사를 봉헌했습니다.

- 저를 싫어하고 협조하지 않는 봉사자도 있을 수 있는데, 너그럽게 포용하지 못하고 총회장님께 일렀습니다.

- 신자분들께 기도해드린다고 약속했는데, 그만 잊어버렸습니다.

"주님, 저는 죄인입니다. 부디 저를 용서해주십시오."

마음속
방 한 칸

　살아가다 보면 미워하는 사람이 내 주변에 생깁니다. 또한 그 사람과 어쩔 수 없이 만나야 하는 상황도 많습니다. 내가 크게 잘못한 것도 없는데 그 미운 사람은 왜 그리도 내게 비협조적이며 험담까지 하는지 모르겠습니다. '저 사람만 없으면 천국일 텐데!'라고 은연중에 외치게 되죠.

　본당 공동체 교우들 중에 좀 피하고 싶은 사람이 있었습니다. 그런데 하느님께서는 그 사람을 성당 마당에서도 만나게 하시고, 레지오 단체 훈화 시간에도 만나게 하시고, 심지어 점심식사 하러 들른 음식점에서도 마주치게 하십니다. 어느 날 성당에서 여러 신자들과 대청소를 하고 있었습니다. 그런데 다른 교우들은 열심히 청소하는데 그 사람은 저쪽에서 놀고 있지 뭡니까! 속이 타들어가죠.

　그날 저녁 끝기도 후, 성경 말씀을 묵상하게 되었습니다.

　"주님, 제 형제가 저에게 죄를 지으면 몇 번이나 용서해주어

야 합니까?"(마태 복음, 18장 21절)

그러자 예수님께서 말씀하십니다.

"일곱 번씩 일흔일곱 번까지라도 용서해야 한다."(마태 복음, 18장 22절)

이후 저는 예수님께 말씀드렸습니다.

'예수님, 그게 아니죠. 일곱 번씩 일흔일곱 번이라도 그 사람을 혼내주세요.'

예수님께서는 이해 못하는 저에게 친절히 어떤 임금이 만 달란트의 빚을 탕감해주는 이야기를 들려주셨습니다. 간략한 내용은 이렇습니다.

어느 종은 임금에게 만 달란트 빚을 졌는데 갚지 못하고 있는 상황이었고, 이에 임금은 종이 가진 모든 것, 가족까지 팔아서라도 갚으라고 합니다. 그는 엎드려 살려달라고 사정, 또 사정을 합니다. 임금이 어떻게 했을까요?

"가엾은 마음이 들어, 그를 놓아주고 부채도 탕감해주었다"(마태 복음, 18장 27절)라고 성경은 기록합니다. 문제는 이 종의 모습인데, 만 달란트를 탕감받았건만 겨우 백 데라리온을 빌려간 사람을 보자, 멱살을 잡고 빚진 것을 다 갚을 때까지 그를 감옥에 가두었습니다. 정말 이 종은 인정 없고 못된 사람입니다. 어떻게 그럴 수 있을까요? 스스로 나쁜 종을 판결하고 돌아서자 하느님께서는 이렇게 말씀해주십니다.

"내가 너에게 자비를 베푼 것처럼 너도 네 동료에게 자비를 베풀었어야 하지 않느냐?"(마태 복음, 18장 33절)

지난 시간이 주마등처럼 흘러갑니다. 증오와 복수심에 휩싸여 잿빛의 눈초리로 사람들을 보았습니다. 누군가에게 말로 상처를 주고 멱살을 잡았던 기억들, 거짓으로 내 자신을 포장하고 세속의 욕망들에 눈을 떼지 못했던 기억들…….

하느님께서는 그러한 나의 죄들을 먹구름처럼 흩날리셨고, 당신 등 뒤로 내던져 버리시어 돌처럼 굳은 마음에 살처럼 부드러운 마음을 넣어주셨는데……. 나는 도대체 무슨 짓을 하고 있는가!

천대에 이르도록 자비를 베푸시는 하느님께서는 내 죄를 잊어버리셨는데, 정작 나는 형제가 조금 못한 일들을 너무도 잘 기억하고 있었습니다.

용서란 그의 죄를 기억하지 않는 것입니다. 우리가 간절한 마음으로 범한 잘못을 용서해달라고 청할 때, 하느님께서는 그 죄를 기억하지 않으십니다. 그런데 왜 나는 타인의 잘못을 죽을 때까지 기억하려 하는 걸까요? 그리하여 진정 내가 얻는 것이 무엇일까요?

용서하지 못하는 것은 마치 과거로 돌아가 내 자신을 죄의 감옥에 가둬놓고 내적 평화와 담을 쌓는 일과도 같을지 모릅니다. 따라서 용서란 차디찬 마음속에 자비와 평화의 하느님을 맞이하는 방 한 칸입니다.

〈내 머릿속의 지우개〉라는 영화가 있습니다. 건축가를 꿈꾸는 남자와 건축회사의 딸이 주변 반대에도 불구하고 사랑을 이뤄 혼인 생활을 하게 되었습니다. 아내는 사랑하는 남편이 아픈 과거를 가지고 있음을 알게 됩니다. 그것은 술집에 드나들던 어머니가 어린 시절 남편을 절에 버리다시피 한 사건입니다. 남편은 어머니를 용서하지 못했습니다. 그의 마음은 차가운 돌처럼 어머니에 대한 그 어떤 것도 받아들이려 하지 않았습니다. 어느 날 아내는 맛있는 음식을 준비하고 시어머니를 초대하여 남편과 화해의 장을 마련합니다. 이를 받아들이지 못하는 남편을 보고 아내는 다음과 같은 말을 합니다.

"용서는 미움으로 가득 찬 네 맘에 방 한 칸 내어주면 되는

거야."

　점점 각박해지고 서로간에 신뢰가 무너지며 서로에게 담을 쌓
아가는 세상, 우리는 그러한 어두운 흑백 세상 안에서 한 송이
향기로운 장미꽃을 피우는 사람이어야 하지 않을까요?

베짜타못가,
그는 바로 나

우리 성당에는 '우리 가족 찾기' 운동이 한창입니다. 여러 이유로 상처받고 하느님과 교회 공동체로부터 멀어진 교우들을 찾아 나서고 있습니다. 잃어버린 양 한 마리를 찾아나서는 예수님의 마음에 머무는 날들입니다.

어느 날 소공동체 봉사자가 한 냉담 교우를 어렵게 성당에 데려왔습니다. 이분은 제게 오랫동안 자신과 가족에 대해 말씀하셨습니다. 이야기를 듣고 보니 이분이 왜 저를 찾아왔는지 알 것 같았습니다. 그분은 자기 이야기를 들어줄 사람이 없었던 것입니다.

오랜 세월 동안 남편에게 큰 상처를 받았고, 자녀는 자기 살길이 바빴습니다. 그래서 가장 사랑받아야 할 가족에게 사랑을 받지 못하고 신뢰를 잃어버려 마음이 병든 분이셨습니다. 가장 가까운 가족이 이분의 아픔을 보듬고 안아주어야 하는데 그러지 못했던 것입니다. 자매님은 기댈 곳 없이 그 누구에게도 마음의 문을 열지 못하고 상처가 깊어져 병든 상태로 어둠 속에 자기 자신을 가둬놓았습니다.

　이 자매님이 가족을 용서하고 치유의 은총을 받기 위해서는 무엇보다도 자매님의 모습을 진실하게 바라볼 시간이 필요해 보였습니다. 왜냐하면 이 자매님은 자신에게 일어난 모든 불행한 일들이 남 탓이라고, 환경 탓이라고 한탄만 하고 계셨기 때문입니다.

　첫 번째 만남은 그분의 이야기를 들어드리고 위로해드리는 것에 만족했습니다. 그리고 두 번째 만남에서 성경의 '베짜타 못가의 병자' 이야기를 들려주며 함께 묵상 나눔을 하였습니다. 베자타못가의 병자처럼 이 자매님 또한 스스로의 의지로 이 어둠의 골짜기에서 나오기를 바랐습니다.

　자매님은 나눔을 하며 계속해서 눈물을 흘리셨습니다. 그러나 끝내 자신이 처한 처지를 남편과 세상의 탓으로 돌리며 쓸쓸한 모습으로 성당을 나가셨습니다. 안타깝게도 그분은 몇 차례 전화에도 응하지 않았습니다.

　사람에게는 누구나 병이 있습니다. 몸 어느 한 구석이 아프든 혹은 마음이 아프든 병이 있지요. 병은 우리를 힘들게 하고 우리의 생명을 조금씩 갉아먹습니다. 그래서 병이 깊어지면 목숨을 잃게 되죠. 만약 병이 난다면 그 병이 어떤 병인지 병원에서 알아보고 내 자신의 건강 상태를 점검합니다. 그리고 치료 방법을 알아내 몸에 있는 악한 병균들을 없애거나 도려냅니다.

마음의 병도 마찬가지가 아닐까요? 비뚤어진 마음, 미움, 탐욕, 게으름, 거짓, 교만, 나쁜 습관, 버리지 못하는 고집과 집착들, 편견 등등……. 이런 마음가짐과 좋지 못한 습관들이 나의 생명을 조금씩 앗아간다면, 이 또한 심각한 병이라 할 수 있습니다. 문제는 우리가 종종 이런 것들에 대해 문제의식을 갖지 못하고 살아간다는 사실입니다.

예수님께서는 다른 사람도 아닌 바로 우리 자신에게 이렇게 말하십니다.

"낫기를 원하느냐?"(요한 복음, 5장 6절)

우리는 어떻게 대답해야 할까요?

"뭐 그냥 편하게 살죠. 낫고는 싶은데……. 좋은 게 좋은 거고, 편한 게 좋은 건데 뭘 그렇게 힘들게 이것 하라, 저것 하라, 이거 지켜라 저거 지켜라 하십니까. 그냥 놔두십쇼! 아직 살아갈 날이 많이 남았는데 천천히 하죠."

"일어나 요를 걷어들고 걸어가거라."(요한 복음, 5장 8절)

예수님은 우리에게 부탁을 넘어서 호소하십니다. 왜? 그분은 우리를 사랑하기 때문입니다. 수십 년간 내 자신의 병든 모습을 못 보고 그냥 그렇게 중풍병자로 살아가는 모습을 더 이상 볼 수가 없기 때문입니다. 그분은 나를 낫게 하고 싶으신 것입니다. 나를 더욱 행복한 삶으로 초대하고 싶으신 것입니다. 나의 손을 잡고 "잔잔한 물가"(시편, 23장 2절)로 이끌어주고 싶으신 것입니다.

그러니 그런 나의 구원자이신 예수님의 음성을 듣고 어찌 요를 걷어들고 일어나지 않겠습니까? 수십 년간 나를 얽어맨 상처, 죄책감, 좋지 못한 습관들을 걷어버릴 때, 그제야 비로소 우리는 주님이 인도하는 생명의 물가로 갈 수 있습니다.

분명한 사실은 신적인 풍요와 생명을 누리려면 내 자신이 스스로 과거의 것들을 과감히 걷어버리고 일어나 걸어가겠다는 결단과 의지가 필요합니다. 그러기 위해서 우리는 큰 아픔과 시련을 겪을지도 모릅니다. 보기 싫은 나의 잘못된 모습도 보아야 하고, 그 모습을 고치기 위해 부단한 노력도 해야 합니다. 하느님의 은총은 하늘의 빗방울 수보다도 더 많이 쏟아집니다. 그 은총을 충만히 받아내기 위해서 우리는 마음속 깊이 처박아두었던 어두운 상처와 아픔을 걷어들고 걸어가야 하지 않을까요?

성지주일을 앞두고 그 자매님이 성당으로 오셨습니다. 눈물로 모든 상처를 쏟아냈고 가족을 용서했습니다. 미사가 끝나고 자매님을 뵈었는데 눈가에 생기가 가득했습니다. 우리는 아무 말 없이 미소로 그동안의 사연들을 담아 손을 잡고 감사의 인사를 나누었습니다.

"하느님 감사합니다. 저는 그동안 팔다리가 비틀어져 있었는데도 남 탓, 세상 탓을 하고 살았습니다. 이제 저를 불러내시어 베짜타못가로 걸어가게 하시니 당신 사랑이 이토록 크십니다. 주님, 매일 내 아픔과 상처를 걷어들고 생명수가 솟아오르는 성령의 물가로 걸어나가게 하소서!"

용서,
그 아름다운 울림

    우리는 홀로 살아갈 수 없는 사회적 존재이며, 사람들과의 관계 속에서 사랑을 주고 받으며 살아갑니다. 사람 때문에 사랑하고 기뻐하며 행복하지만 또한 사람 때문에 상처받고 아파합니다. 상처받지 않고 아파하지 않고 사랑할 수 있을까요?

    만약 어떤 사람과 나 사이에 나쁜 감정이 쌓이고 다툼이 있었다고 한다면, 여러분은 어떻게 하나요? 어떤 사람들은 친한 사람들을 불러놓고 하소연을 합니다. 어떤 이들은 직접 가서 그 사람과 대화를 합니다. 이렇게 만남을 시도하고 그 만남을 받아주는 것 자체로 꼬인 문제는 해결의 실마리를 찾게 됩니다.

    갈등을 겪는 이와 만나게 되면 온유한 눈길로 상대편의 말을 들어주십시오. 여기서 온유한 눈을 가지려면 형제를 찾아가기 전에 기도해야 하며, 상대편의 말을 들어주려면 여유를 갖고 마음을 열어야 합니다. 하느님께서는 이미 당신의 진실을 알고 계시니 혹여 일이 해결되지 않더라도 그것만으로도 하느님의 사랑을 전한 것입니다.

　우리는 누군가에게 먼저 다가가 용서의 손을 내밀어본 적이 있습니다. 마음 깊이 차갑게 얼어 있던 그 무언가가 맞잡은 손의 온기로 녹아 훈훈해지는 경험을 말입니다. 그때 비 온 뒤 땅이 더 굳어지듯 사람 하나를 얻게 되고, 상호간의 우정은 더욱 깊어집니다.

　혹여 형제를 찾아가 진심 어린 충고를 하거나 용서를 구할 때, 그가 받아주지 않을 수도 있습니다. 그렇더라도 분노와 적개심을 품기보다는 평화를 유지하려 노력하면서 돌아와 공동체의 힘을 빌려야 합니다. 예수님의 말씀처럼 마음이 바른 다른 이들과 함께 가서 사랑으로 충고해줄 수 있습니다.

　그러나 그 형제가 공동체의 말도 들으려 하지 않을 때는 이제 '발에 묻은 먼지를 털어버려야 합니다.' 다시 말하면 이제는 하느님께서 그를 대하실 것이니, 물러나야 한다는 것입니다.

　우리는 이러한 행동을 통해 내 안의 악마가 부추기는 분노와 미움, 시기와 질투의 여러 감정들을 놓아버림으로써 내적인 자유를 누릴 수 있게 됩니다.

　종소리는 자신의 아름다운 울림을 더 멀리 보내기 위해서 더 아파야 합니다. 우리는 모두 하느님의 자비와 사랑을 전하는 아름다운 울림입니다. 용서하지 못한 이들을 용서하고, 꼴도 보기 싫은 이들을 보듬어 안아야 합니다. 결코 마주할 일 없을, 내게 상처를 준 이들을 보기 위해 우리는 아파야 합니다. 그렇게 우리의 아름다운 울림은 "하느님은 사랑이십니다"(요한 1서, 4장 16절)라는 진리를 세상에 전하게 될 것입니다.

7세기 교부 막시모 콘페소르는 "중상을 일삼는 혀에 귀를 내주지 말고 이웃을 거슬러 재잘거리는 말을 듣기 좋아하는 귀에 너의 혀를 내주지 마라"*라고, 그의 저서 《사랑에 관한 400개의 금언들》에서 말합니다. 누군가 나를 헐뜯었더라도 그를 미워하지 말고, 헐뜯음 그 자체와 그가 헐뜯도록 부추긴 악마를 미워하라고 조언합니다. 타인이 내게 불의를 행하면 행할수록 더욱 그에게 친절하고 겸손하게 그리고 선하게 대하면 얼마나 좋겠습니까? 그래야 우리는 예수님께서 말씀하시듯 천상의 더 큰 상을 받게 될 것입니다. "사랑은 이웃에게 악을 저지르지 않습니다"(로마서, 13장 10절)라고 말씀하신 바오로 사도의 음성이 바람을 타고 와 마음을 스칩니다.

---

* 요셉 봐이스마이어, 《펠라지오에서 시메온까지》, 전헌호 옮김, 가톨릭출판사, 2003

하느님께서
우실 때

사목 생활을 하면서 교우들의 눈물을 많이 봅니다.

갓난아이의 이마에 물을 부으며 세례를 줄 때, 어린아이가 앙앙 웁니다. 하느님 자녀로 새롭게 태어나서 그런가 봅니다. 삶의 무게가 너무도 가혹해 하소연할 곳이 없어 사제를 찾아온 어느 자매님의 두 눈에서 눈물이 흐릅니다. 또한 너무도 갑작스레 쓰러진 아내를 하느님께 보내며 흐르는 눈물을 멈출 수 없는 한 형제님도 계십니다. 하느님도 너무 슬퍼서 그분들 가슴속에서 울어서 그런가 봅니다. 오랜 세월 냉담하고 면담 고해성사를 하며 한 신자분이 말을 잇지 못합니다. 두 볼 사이로 구슬 같은 눈물이 떨어집니다.

8년 전 부제서품을 받고 처음으로 환자 영성체를 하였습니다. 어느 허름한 집에 들어서니, 거동이 불편한 할머니께서 빼꼼히 미닫이문을 여십니다. "할머니, 예수님을 모시고 왔습니다"라는 소리에 힘겹게 상체를 일으키셨어요. 성체를 정성스럽게 모셔드리고 성가 〈주여 임하소서〉를 잔잔히 불러드렸습니다. 잠시 후 할머니께서는 하염없는 눈물을 흘리셨습니다. 저는 아무 말도 못한 채 할머니 손을 꼬옥 잡고 그저 눈물을 바라보았습니다. 나는 살아오는 동안 성체를 영하면서 이러한 눈물을 흘려보았던가! 아마도 할머니께서 흘린 눈물은 보잘것없는 인간의 영혼이 형언할 수 없이 자비로우신 하느님을 만날 때 흐르는 감격의 눈물이었을 것입니다.

인간은 태어날 때부터 눈물을 흘리기 시작하여, 삶의 여정 중에서 슬픔과 기쁨, 고통과 행복, 감동과 연민 등의 감정으로 많은 눈물을 흘립니다. 그런데 이러한 눈물 가운데서 하느님께로 향하는 눈물이 있습니다. 바로 하느님과 일치하는 '회개의 눈물'입니다.

탕자가 "아버지, 제가 하늘과 아버지께 죄를 지었습니다"(루카 복음, 15장 21절)라고 말하며 아버지 품에 안겨 흘렸던 눈물을 우리는 기억합니다. 아버지는 그를 보고 가엾은 마음이 들어 목을 껴안고 입을 맞추었습니다. 사람들 손에 끌려 온 한 간음한 여인이 죄를 묻지 않는 예수님 앞에서 흘린 눈물도 있습니다. 세 번이나 예수님을 모른다고 배반한 베드로 사도는 예수님의 말씀이 떠올라 밖으로 나가 슬피 울었습니다. 이 모든 눈물은 죄 많은 영혼을 용서해주시고 안아주시는 하느님 아버지의 한없는 사랑을 느낄 때 흐르는 것입니다. 인간은 그렇게 굳어버린 영혼의 더러움을 씻겨내고 살처럼 부드러운 창조 때의 하느님 숨결로 변화됩니다.

회개의 눈물은 인간이 하느님을 목 놓아 부를 때 흐르는 인간의 겸허한 외침입니다. 그래서 회개의 눈물은 죄 많은 영혼의 닫혔던 마음의 문을 열게 해줍니다. 문이 열리면 문 앞에서 하느님의 눈물이 기다리고 있습니다. 예수님께서도 인간을 위해 눈물을 흘리셨고 인간과 함께 눈물을 흘려주셨습니다.

누가 내 앞에서 눈물을 흘리게 될 때, 마음이 함께 안타깝고 아프며 어떻게 해서든 그 눈물을 닦아주고 싶지요. 하느님도 마찬가지입니다. 그래서 하느님께서는 우리가 눈물을 흘릴 때, 옆에 서서, 아니 내 안에서 같이 울어주십니다. 여러분은 눈물을 흘릴 때, 심장이 크게 뛰는 것을 느껴보았을 것입니다. 그것은 하느님께서 내 안에서 같이 울어주시기 때문이 아닐까요?

"네가 나의 눈물에 젖으리라."(이사야서, 16장 9절)

새해 손님

옷깃을 스치는 지난 기억들을 여미어본다
용서하지 않았던 살얼음 같은 사람들
놓아주지 못했던 어둠의 감정들
붙잡아둔 화롯가 욕심들
털어내지 못했던 잿빛의 말과 눈초리
이제 바람결에 실려 보내려
두 팔을 벌려 하늘로 눈을 들어 본다

허리띠를 동이듯 새로운 시간을 붙잡으려
마음의 문을 슬며시 열고 귀를 기울이면
묘시卯時의 고요함처럼 신의 섭리가 휘감을 때
샛별로 날아가는 새들의 찬미에 마음을 얹고
떠오르는 새벽빛에 손을 모은다

흰 눈이 나리워져 하이얀 도화지가 펼쳐진다

한 발 한 발 정성스럽게 새길 테야

다시 오지 않을 오늘, 사랑하며 살아야지

열리는 문, 생명과 희망의 빛이 손을 잡고 내게로 와

반짝이는 영혼의 미소에 눈이 부신다

◇◇◇

70대 어르신들이 〈인생은 미완성〉이란 노래를 부릅니다. '인생은 쓰다 마는 편지 같
지만 그래도 우리는 곱게 써가야 한다'는 노랫말이 왜 이리도 가슴을 저미게 하는지
요. 살아가다 보면 참 많은 일들이 일어납니다. 예기치 못한 시련들, 불청객처럼 다
가오는 고통들, 병으로 육신이 아프고 사람 때문에 마음에 상처를 받기도 합니다. 그
럼에도 '곱게 써가야 한다' 노랫말이 어느 시인이나 신학자의 말보다도 더 깊은 여
운을 줍니다.

예수님께서는 서른셋이라는 짧은 인생을 살다 가셨지만 그 마지막 순간까지 주어
진 인생을 곱게 써내려 가셨습니다. 사랑은 그런 것인가 봐요. 너를 위해 나를 잊고
너를 위해 나를 내어주는 편지와도 같은 것. 그렇게 써가다 보면 어느덧 편지봉투에
넣어 사랑이 필요한 누군가에게 보내지게 되니 말이죠.

3부

사슴처럼 기대며 살아요

흑돼지의
추억

 본당 사목자가 되어 교우들과 함께 부임 첫 해를 보내고 새
해를 맞았습니다. 이 날을 뜻 깊게 보내고 유쾌한 추억으로 남
기고자 몇 가지 일을 궁리했습니다. 그러다 어릴 적 동네에서
돼지를 잡아 잔치를 했던 기억이 떠올랐습니다.

 "그래, 돼지를 잡자!"

 그날 오후 사회복지 분과장님께서 연말에 불우한 이웃들을
위한 난방비와 생활비 지원 보고를 하러 사제집무실에 오셨습
니다. 돼지를 잡는 송년회 계획을 말씀드렸더니, 좋은 생각이
라며 맞장구를 치셨습니다. 더욱이 분과장님께서 음료와 막걸
리를 내겠다고 약속하셨습니다. 기분이 좋아졌습니다. 그리고
도매 가격으로 맛있는 돼지를 바로 잡아올 곳도 잘 알고 있다
니, 사회복지 분과장님은 정말 하느님께서 보내주신 송년회 특
사였습니다.

 저녁에 총회장님을 만나 계획을 말씀드렸더니 아주 좋아하

셨습니다. 빠듯한 본당 살림에 송년회에 책정된 예산이 없으니, 뜻 있는 사람이 한 가지씩 봉헌함으로써 송년 잔치를 열자고 모두가 손을 모았습니다. 성모회원분들은 기쁘게 반찬을 준비해주신다고 했습니다. 그리고 몇몇 형제님들은 돼지를 굽기 위해 드럼통을 잘라 쇠막대로 용접하여 5개의 바비큐 구이대를 뚝딱 만들었습니다. 이분들 손은 정말 도깨비 방망이입니다. 정말 대단한 사람들입니다.

송년회 준비봉사자들은 미사에 적어도 250명은 올 테니, 많은 고기를 미리 구워놓고 미사 후 다시 데워서 교우들에게 대접하자고 의견을 내었습니다. 그래서 모두가 찬성했습니다. 우리 모두는 준비하는 과정 내내 너무도 재미있고 '한 마음 한 뜻'이 되었습니다.

그리고 다음날 시청으로부터 기쁜 소식이 도착했습니다. 성당 건물을 종교 시설로 용도 변경하여 '사용승인허가'를 기다리고 있었는데, 마침 그날 준공허가 통보를 받았던 것입니다. 참 기쁜 일이었습니다. 그러고 보니 돼지를 잡으려는 계획은 다 이유가 있었던 것 같습니다.

드디어 12월 31일 저녁 송년미사 공지사항 때, 교우들에게 기쁜 소식을 전해드리고 돼지를 잡았다고 하자, 모두가 박수를 치며 좋아하셨습니다. 교우들은 미소를 한가득 머금고 식사가 마련된 장소로 이동했습니다. 문제는 여기서부터였습니다.

몇몇 신자가 말했습니다.

"신부님이 흑돼지를 잡았나?"

직접 가서 보니 글쎄 구운 고기가 모두 까맣게 되어버렸습니다. 고기를 구운 봉사자들에게 물어보니, 어둠 속에서 고기를 구워 타버린 고기들이 좀 있었고, 미리 구운 고기와 함께 다시 데우는 과정 중에 탄 고기가 섞여서 모두가 까맣게 되었다는 것입니다.

'아뿔사, 이를 어쩌나!' 그래도 교우들에게 사실대로 말하고 '탄 고기라 몸에 해로우니 드시지 말라'고 공지를 하기로 결심하고 마이크를 잡았습니다.

"사랑하는 여러분, 저희 모두가 열심히 준비했는데 어둠 속에서 고기를 구워 많이 탔고 또 데우는 과정에서 고기가 섞여 검게 되었습니다. 죄송합니다. 고기는 드시지 마세요."

그런데 교우들은 "비싼 흑돼지를 준비했다"고 하시며 모두들 맛있게 드시지 뭡니까!

정말 눈물 나게 고마웠습니다. 교우들은 낙담해하는 본당 신부와 봉사자들을 그렇게 위로해주셨습니다. 준비한 사람들, 함

께한 교우들 모두가 행복해하는 시간이었습니다. 우리는 그렇게 웃음꽃을 피우며, 입가에 숯덩이를 묻히면서 누구도 예상 못한 '퇴촌 흑돼지'를 맛있게 먹었습니다. 그리고 한 해를 열심히 살아온 서로서로를 위로하며 희망찬 새해를 맞이했습니다.

요즘에도 가끔 2011년 송년회 추억을 떠올리면 모두가 웃음꽃을 피웁니다. 그리고 이듬해 2012년 송년회 때, 다시 돼지를 잡았습니다. 우리는 그 돼지를 굽지 않고 삶았습니다. 흑돼지의 추억은 단 한 번으로 남겨두기로 했거든요!

숨은
보석

다이아몬드는 값비싼 대표적인 보석입니다. 30억 년 전 200킬로미터 아래에서 탄소는 3000도의 고온을 견뎌내어 반짝반짝 빛나는 보석이 되었습니다. 다이아몬드의 생성 과정을 보면 30억 년 동안 지하 깊은 곳에서 인간의 눈에 띄지 않았다는 사실을 알게 됩니다. 눈으로 쉽게 볼 수 있고 흔하다면 그것은 귀중한 가치를 지닐 수 없을 것입니다. 그만큼 보석은 쉽게 눈에 띄지 않는 곳에서 반짝입니다.

우리 주변을 보면 사람 중에도 반짝반짝 빛나는 사람이 있습니다. 우리 성당에도 그런 보석 같은 사람이 있습니다. 그분을 처음 보면 아무도 보석 같다고 하지 않을지 모릅니다. 왜냐하면 늘 허름한 노동자의 옷차림에다 흙 묻은 신발, 허리에는 늘 공사판 연장들이 달려 있기 때문이지요. 그것들로 성당 여기저기를 고치는데 솜씨가 일품입니다. 어떻게 보면 성당 관리인이

나 혹은 전문 목수 같지만 그는 보수를 받지 않습니다. 그는 가난합니다. 그러나 성당에서 자신이 무슨 일인가 할 수 있다는 사실만으로 행복해합니다.

그는 키가 큰 건장한 체격이지만 몇 번의 교통사고로 몸이 여기저기 고장이 났습니다. 하지만 그는 아픈 내색을 하지 않습니다. 새벽녘 일을 나가기 전 성당에 들려 성모님께 기도하고 촛불을 켜는 모습은 마치 첫 영성체를 하는 어린이 같습니다. 주일날 경광봉을 휘두르며 주차봉사를 할 때면 카리스마가 넘칩니다. 그리고 미사 중 참례 인원을 체크하는 옛 성당의 맘씨 좋은 할아버지 같은 온순함도 지녔답니다.

그는 성탄전야 때, 땔감을 만들고 추위 속에서 고구마를 구워 어린이들에게 선물해줍니다. 궂은 일이 있는 곳에는 항상 그가 있습니다. 눈이 오는 날이면 그가 성당에 가장 먼저 옵니다. 성탄절 아침에도 눈이 왔어요. 그는 어김없이 작업복으로 성당에 와서 눈을 말끔히 치워놓았습니다. 그는 교우들로부터 '퇴촌성당의 머슴'이라고 불리웁니다. 화를 낼 법도 하지만 그는 이 말에 함박웃음을 지으며 좋아합니다.

어느 날 이른 새벽 그가 구유 앞에서 두 손을 모으고 기도하고 있었습니다. 저는 사제관 유리창 너머로 그를 바라보았습니다. 순간 뜨거운 감동이 밀려왔습니다. 그는 2000년 전 아기 예수님을 경배하러 온 첫 번째 목동의 모습을 하고 있었기 때문입니다. 아기 예수님은 이 가난한 목동을 기다리셨습니다. 그로부터 빛이 났습니다. 그는 예수님의 숨은 보석이었습니다.

사람이 별처럼 빛나고 보석처럼 반짝일 때가 있습니다.

찰고의
기쁨

"사도신경을 외워보세요?"

"전능하신 하느님과 형제들에게 고백하오니……."

"?"

한 자매님의 기도문 외우는 소리를 한참 동안 듣다가 뭔가 이상한 느낌이 들었습니다.

'이건 고백의 기도인데?'

긴장하신 자매님은 사도신경이 아닌 고백의 기도를 외운 것입니다. 세례 전 찰고擦考 때 일어난 일입니다. 그날 그 자매님은 사도신경을 외우지 못했습니다. 그래서 사흘 후 다시 오라고 기회를 드렸습니다.

찰고 때 고민이 생깁니다. 아직 준비가 되어 있지 않은데 너무 쉽게 세례를 허락하면 이후 냉담한 경우가 적지 않고, 또 너무 까다롭게 하면 예비신자의 입교하고픈 간절한 마음을 다 이해하지 못하는 것 같아서죠. 그래서 나름대로 기준을 정한 것이 묵주기도를 할 수 있고 고해성사를 볼 수 있는 수준, 그리고 성체성사에 성실히 임하는 증표로 출석률과 미사 참례율을 확인하기로 했습니다.

한 자매님께서 너무 긴장을 하셨는지 성호경을 거꾸로 그으시는 것입니다. 문제는 이때부터 외웠던 모든 기도문들이 까맣게 되었다고 말씀하십니다. 교리도 몇 번 빠지셨길래 "이러면 준비를 좀 더 해야 한다"고 말씀드렸더니 눈에서 눈물이 맺히시며 저를 바라보시는 것입니다. "저 정말 열심히 할께요. 저이번에 꼭 세례를 받아야 합니다"라고 한 번만 봐달라는 것입니다.

그래서 이토록 마음이 간절하니 세례를 주기로 결심하고, 다만 예수님의 일생에 대해 글을 써서 사흘 후에 다시 오시라고 말씀 드렸습니다. 침통한 표정으로 나가시며 "우황청심환을 먹을걸 그랬다"고 교리교사에게 말씀을 하시길래, 마음이 짠해졌고 미안하기까지 했습니다. 그리고 금요일에 오시면 무조건 통과시켜드리기로 마음을 굳혔습니다.

금요일 오전 미사 후, 자매님이 왔습니다. 긴장한 표정은 역력했고 기도문을 외우기 전에 모은 두 손이 떨리는 것입니다.

"자매님, 좀 틀려도 되고, 만약 외우시다가 막히면 제가 몇 글자 힌트를 드릴 테니 편하게 하세요."

"전능하신 천주 성부, 천지의 창조주를 저는 믿나이다……."

자매님은 사도신경을 완벽하게 외웠고, 종이 한 장을 건네주셨는데 거기에는 또박또박 쓴 글씨로 예수님의 일생이 적혀 있었습니다. 곱게 써내려 간 글을 보고 있자니 감동이 밀려왔습니다. 왜냐하면 이 글은 자매님의 '신앙고백문'이었기 때문입니다.

그렇습니다. 우리는 각자가 체험한 '신앙고백문'을 가지고 있어야 합니다. 하느님께서는 자유롭게 우리 각자와 인격적인 관계를 맺으시며 당신 자신을 계시하고 있기에 우리 모두는 내 자신의 지성과 의지로 그분을 알아보고 신앙으로 응답할 수 있습니다.

여하튼 자매님이 예수님을 더 잘 알게 된 것 같아 저의 무거운 마음도 가벼워졌습니다. "자매님, 합격!!!"이라고 저도 모르게 큰소리를 질렀더니, 자매님이 두 손을 올려 만세를 부르며 눈물을 쏟는 것입니다. 집무실 밖에서는 더 난리입니다. 교리교사님이 이 자매님을 부둥켜안는데, 이산가족 상봉은 저리 가라 할 만큼 감동적인 장면이었습니다.

"두드려라 열릴 것이다. 구하여라, 받을 것이다. 찾아라, 얻을 것이다. 문을 두드려라, 열릴 것이다."(루카 복음, 11장 9절)

예수님의 말씀은 바로 이날 찰고 때 이루어졌습니다. 다음날 세례식을 하였고, 우리 모두는 뜨거운 성령의 기쁨을 나누었습니다.

"크리스티나 자매님, 저희 모두에게 소중한 선물을 주셔서 고맙습니다. 자매님의 신앙고백문은 하느님께 가장 큰 선물이었고, 이 부족한 사제에게는 큰 교훈이었습니다."

작은
음악회

참 아름다운 계절, 산책하며 기도하기 좋은 계절입니다. 하늘은 높고 바람은 곱고, 코스모스는 하늘하늘, 산과 들은 새색시 얼굴처럼 물들어갑니다. 하느님께서 마련해주신 이 아름다운 시절에 우리 성당에 작은 음악회가 열렸습니다. 야외 성모상 뒤로 새들이 지저귀고 밤하늘에 별들이 속삭이듯 교우들이 노래와 연주로 하느님을 찬미하는 시간이었습니다.

우리 본당은 작은 시골 성당이지만 두 개의 성가대가 있습니다. 주일 아침미사에 봉사하는 세실 성가대와 교중미사를 담당하는 그라시아스 성가대가 그들입니다. 이들 성가대에는 특별히 전문 공부를 한 성악인이나 지휘자가 없으나 참 잘합니다. 단원들 모두 자기를 드러내기보다 서로의 목소리를 남을 위해 맞추면서 화음을 내는 겸손한 마음을 가져서 그런 것 같습니다. 그래서 올해 4회째 음악회를 맞이하게 된 것입니다.

특별히 평균연령 65세 정도로 이루어진 세실 성가대의 무대는 그야말로 우리 모두에게 진한 여운과 감동을 주었습니다. 어르신들께서 불러주신 〈인생은 미완성〉과 〈날마다 숨쉬는 순간마다〉라는 노래의 가사는 우리들 가슴속에 아름다운 감동의 선율을 남겨놓았어요. 노래는 이렇게 시작합니다.

"인생은 미완성~ 쓰다가 마는 편지~ 그래도 우리는 곱게 써가야 해. 사랑은 미완성~ 부르다 멎는 노래~ 그래도 우리는 아름답게 불러야 해……."

인생의 황혼을 보내는 분들께서 들려준 '인생은 쓰다 마는 편지 같지만 그래도 우리는 곱게 써가야 한다'는 노랫말이 왜 이리도 가슴을 저미게 하는지요. 살아가다 보면 참 많은 일들이 일어납니다. 예기치 못한 시련들, 불청객처럼 다가오는 고통들, 병으로 육신이 아프고 사람 때문에 마음에 상처를 받기도 합니다.

그럼에도 '곱게 써가야 한다' 노랫말이 어느 시인이나 신학자의 말보다도 더 깊은 여운을 줍니다. 예수님께서는 서른셋이라는 짧은 인생을 살다 가셨지만 그 마지막 순간까지 주어진 인생을 곱게 써내려가셨습니다. 사랑은 그런 것인가 봐요. 너를 위해 나를 잊고 너를 위해 나를 내어주는 편지와도 같은 것. 그렇게 써가다 보면 어느덧 편지봉투에 넣어 사랑이 필요한 누군가에게 보내지게 되니 말이죠.

이어지는 노래 〈날마다 숨쉬는 순간마다〉의 가사는 우리의 삶에 위안과 희망을 가져다주었습니다. "날마다 숨쉬는 순간마다 내 앞에 어려운 일 보네. 주님 앞에 이 몸을 맡길 때 슬픔 없네 두려움 없네. 주님의 그 자비로운 손길 항상 좋은 것 주시도다…… 주님의 도우심 바라보며 모든 어려움 이기도다. 흘러가는 순간순간마다 주님 약속 새겨봅니다."

맞습니다. 날마다 숨쉬는 순간마다 우리에게 다가오는 많은 시련과 고통 앞에서 주님께 이 작은 몸을 맡겨야 하며 주님의 도우심을 바라보면서 이겨나가야 합니다. 왜냐하면 주님께서 남겨주신 아름다운 약속이 있거든요. "때가 되면 내가 와서 너희를 너희 땅과 다름없는 땅으로, 곧 곡식과 새 포도주의 땅, 빵과 포도밭의 땅으로 데려가겠다."(이사야서, 36장 17절)

그리고 예수님께서는 혼자 남게 될 우리들에게 협조자이신 성령님을 보내주신다고 약속하시며 돌아가시기 전 피땀을 흘리시며 이렇게 기도하셨지요.

"아버지, 아버지께서 나에게 맡기신 사람들을 내가 있는 곳에 함께 있게 하여주시고 아버지께서 천지 창조 이전부터 나를 사랑하셔서 나에게 주신 그 영광을 그들도 볼 수 있게 하여주십시오"(요한 복음, 17장 24절).

교우들에게 이렇게 말하고 싶어요. '우리 모두 타향인걸. 외로운 가슴끼리 사슴처럼 기대고 살자'는 노랫말처럼 서로가 서로에게 기대면서 서늘해지는 가을을 보내도록 해요. 왜냐하면 우리는 천국 본향에서 예수님의 약속이 이루어지리라 믿는 자랑스런 가톨릭 신앙인이니까요.

물들어요

서편으로 해가 지면

난 붉은 노을 되어 그대 두 볼에 물들어요

까만 밤이 짙어지면

난 별빛이 되어 그대 쉬고 있는 밤하늘 안으로 물들어요

물안개 피어오르는 동틀녘

난 햇살이 되어 그대 거니는 호수 위로 물들어요

작은 꽃이 고개를 들면

난 나비가 되어 그대 향기 안으로 물들어요

세상이 이토록 아름다운 이유

사랑으로 물들었기 때문이죠

고통과
기쁨 사이

해산의 고통에 대해 한 자매님께서 이렇게 표현하셨습니다.

"진통을 겪을 때, 별이 몇 개 보이면 아이가 태어나요."

별을 본 적이 있나요?

어린 시절 추억의 앨범을 들추어봅니다. 별을 본 적이 있습니다. 제 살던 시골집 3면이 포도밭으로 둘러싸여 있었습니다. 포도밭과 우리 집 사이에는 작은 도랑이 있었는데, 친구들과 그 도랑을 건너 다니며 놀았던 기억이 있습니다. 포도밭에는 기둥 역할을 하는 돌기둥이 서 있었는데 장마철의 물줄기로 인해 쓰러지려 하였습니다. 그것도 모르고 도랑을 건너다 쓰러지는 돌기둥에 머리를 맞은 적이 있습니다. 그때 별 하나를 보았습니다. 그리고 며칠을 집에 누워 있었지요. 그런데 여인이 해산의 고통을 겪을 때 그런 별을 몇 개 봐야 한다니, 그 고통이 얼마나 클지 가늠할 수 있겠습니다.

아이를 가진 여인들은 근심과 고통으로 진통의 시간을 겪지만, 아이를 낳으면 새 생명이 태어났다는 기쁨으로 그 고통을 잊게 됩니다. 마찬가지로 우리 삶 속에 고통과 기쁨이 상존하며, 고통이 우리를 완전히 지배하지도 않기에, 그 후에 오는 기쁨을 희망할 수 있습니다.

예수님의 죽음 후, 두려움에 떨던 제자들이 부활을 체험하고 새롭게 변화되어 용기 있게 복음을 선포한 것도 마찬가지입니다. 슬픔에 잠겼던 제자들이 기뻐서 어쩔 줄 몰랐습니다. 고통 속에서 좌절을 겪었던 제자들은 새로운 활력을 얻게 됩니다.

그렇기에 그리스도인들에게 십자가는 없어져야 할 짐이 아니라, 안고 가야 하고, 종국에는 사랑해야 하는 실재입니다. 우리는 흔히 십자가를 고통이나, 내가 감당하기 힘든 무거운 삶의 짐들로 비유하곤 합니다. 고통과 여러 삶의 무게들이 단순히 견뎌내야 하는 대상으로 우리에게 다가올 때면 십자가는 우리에게 부정적인 대상이 됩니다. 하지만 그것들이 내 삶의 한 부분이라고 생각할 때, 우리는 긍정적으로 받아들일 수 있습니다. 십자가는 견뎌내야 하는 고통이기보다는 받아 삼키는 쓴약과 같습니다.

유학 시절 갑작스레 돌아가신 부친의 장례를 마치고 다시 로마로 돌아오는 길이 무척이나 힘들었습니다. 아직 마음도 추스르지 못했는데 논문지도 교수님께서 어느 날 부르셨습니다.

"자네 글을 보았네만, 자네와 이 작업을 계속할 수는 없을 것 같네."

청천벽력 같은 소리였습니다. 그동안 공부해온 모든 것이 수포로 돌아가기 때문이었고, 그보다도 다시 무엇인가를 시작할 힘이 없었기 때문입니다.

저는 한 달여 방황을 했고 어느 날 성지에서 고해성사를 보았습니다. 저는 고해 신부님 앞에서 하느님을 원망하는 이야기를 많이 했고, 제게 닥친 일들이 너무 가혹하다고 화까지 냈습니다. 그러자 조용히 듣고만 계시던 고해 신부님께서 한 말씀 하셨습니다.

"신부님, 십자가는 지고 가는 것이 아니라 안고 가는 거랍니다."

고해소를 나와 성당 정면에 있는 십자가를 바라보며 한참을 머물렀습니다.

어떤 이는 오늘 비가 온다고 난리입니다. 그러나 또 어떤 이는 새로 산 장화를 신게 되었다고 좋아합니다. 어떤 이는 시험에 떨어졌다고 온 가족에게 화를 냅니다. 어떤 이는 다음 시험에 합격하기 위해 틀린 문제를 풀어봅니다. 어떤 이는 나에게 왜 이런 병이 생겼냐고 세상을 원망합니다. 어떤 이는 지난날 자기 관리를 하지 못한 자신을 반성하며 치료에 성실히 임합니다.

천국은 엘리베이터를 타고 한 번에 올라갈 수는 없을 것입니다. 한 계단 한 계단 십자가를 안고 힘과 정성을 다하고 땀을 흘리며 가야 하겠지요. 그런데 한 계단을 오르면 그 계단을 오르는 힘이 커집니다. 고통을 맞이하는 사람도 마찬가지입니다. 그렇게 한 계단 한 계단을 오를 때, 예수님께서 우리를 기다리시며 마중 나오시지 않을까요? 내 십자가를 안고 갈 때 예수님은 그러한 나를 안고 갈 것입니다.

십자가를 안은 모습을 그려보십시오. 내가 예수님을 안고 있기보다 예수님께서 나를 안고 있지 않나요?

"내가 너희를 다시 보게 되면 너희 마음이 기뻐할 것이고, 그 기쁨을 아무도 너희에게서 빼앗지 못할 것이다."(요한 복음, 16장 22절)

삶의 애환을
풀어주는 해장국

"신부님, 지금 아내가 의식이 없습니다. 오실 수 있으신지요?"

사목회의를 하는 중이었습니다. 전화벨이 계속 울리기에 받았더니 전임 공소회장님께서 급히 병자성사를 요청하셨습니다. 오늘 오후까지만 해도 아내이신 로사리아 자매님의 상태가 며칠 후면 괜찮아질 거라 했는데, 저녁이 되어 갑자기 뇌출혈이 일어난 것입니다. 일주일 전까지만 해도 공소에서 반갑게 새해 인사를 나누었고, 며칠 전에는 감기 기운이 심해 병원에 계신다는 소식을 전해 들었기에 충격이 너무나 컸습니다.

급히 자매님이 누워계시는 병원으로 차를 몰았습니다. 병원 통로에는 이미 가족들이 침통한 표정과 당황한 얼굴로 저를 맞았습니다. 아직 무슨 일이 일어났는지 모르는 어린 손주들만이 해맑게 웃고 있었습니다. 가족들 또한 예상치 못한 일이었는지라 기다리는 이 시간들이 고통스러웠을 것입니다. 남편인 요한 형제님은 자매님의 상태가 의사가 손을 쓸 수 없이 위독하다고 제게 귀띔해주었습니다.

손을 소독하고 마스크를 착용한 후, 요한 형제님과 무균실 중환자실로 들어갔습니다. 병실 문을 열었을 때, 로사리아 자매님은 거친 숨을 내쉬며 누워계셨습니다. 산소 호흡기와 복잡한 주삿줄, 뒤엉킨 호스들이 자매님의 심각한 상태를 대변해주었습니다.

참담한 마음을 가다듬고, 로사리아 자매님 귀에 속삭였습니다.

"로사리아 자매님, 저 모세 신부예요."

무슨 말인가 이어야 하는데, '걱정하지 말라고, 하느님께서 자매님과 함께 계신다'고 말해야 하는데, 어떤 말도 입에서 떨어지지 않았습니다. 짧은 시간이었지만, 로사리아 자매님 그리고 요한 형제님과 함께했던 많은 추억들이 흘러갔습니다.

두 분은 강하공소에서 멀지 않은 곳에서 해장국 집을 운영하셨습니다. 공소 공동체는 이 해장국 집에 자주 모였습니다. 축하할 일이 있을 때, 어느 교우가 어려움에 처했을 때, 기쁨을 나눌 때, 송년회 등, 그야말로 해장국 집은 공소 공동체의 사랑방과도 같았습니다. 로사리아 자매님은 그때마다 맛있는 음식

을 마련하시며 공소 공동체의 나눔과 친교를 위해 많은 봉사를
하셨습니다. 교우들은 이 해장국 집에서 아린 속을 풀기도 했
지만, 사실 상처입고 외로운 우리 모두의 애환을 녹였습니다.

거친 숨소리에 정신을 가다듬고 병자성유를 바르며 마지막
기도문을 외웠습니다.

"우리를 구원하시는 주님, 성령의 은혜로 이 병자의 병을 고
쳐주시고, 상처를 낫게 하시며 죄를 용서해주시고, 정신과 육
신의 온갖 고통을 없애주소서. 또한 자비를 베푸시어 몸과 마
음의 건강을 되찾아 다시 일할 수 있게 하소서……."

그런데 "다시 일할 수 있게 하소서……"라는 기도문에 눈물
이 왈칵 쏟아지고 말았습니다. 저는 기도했습니다. "로사리아
자매님, 우리 다시 해장국 집에서 모여야지요. 다시 일어나셔
서 해장국 집에서 모여야지요. 얼른 일어나세요, 얼른……."

다음날 새벽 우리 모두의 간절한 청을 뒤로하고 로사리아 자
매님은 하느님 품으로 가셨습니다. 고등학교를 졸업한 아들과
두 명의 손주를 안겨준 맏딸, 혼인을 준비하는 둘째 딸, 남자친
구를 데려온 막내딸을 두고, 그리고 평생을 반쪽으로 살아온
남편을 두고 하늘로 돌아가셨습니다.

우리 공동체는 눈물로 장례미사를 봉헌하였습니다. 미사 중에 자녀분들을 바라보았습니다. 그들은 로사리아 자매님을 너무도 닮아 있었습니다. 로사리아 자매님은 우리 곁을 떠났지만, 지금 우리 마음속에 더 깊이 남아 있습니다. 우리는 자매님의 희생과 사랑을 알고 또 함께 느꼈기 때문입니다. 공소 공동체는 장례 기간 내내 빈소를 지키며 삼우미사 때까지 기도를 계속했습니다.

　　어느덧 사십구재가 지났습니다. 냉담하던 자녀들이 하느님 대전에 나오게 되었고, 둘째 딸은 성당에서 관면혼배를 하였으며, 막내딸은 지금 예비자 교리반에 열심히 나오고 있습니다. 그리고 자녀들이 아버지를 모시고 공소 주일미사에 참례하고 있습니다.

　　어느 날 두물머리 해장국 집을 지나며, 잠깐 멈추어 하늘을 바라보았습니다.

　　"로사리아 자매님, 계신 곳은 어떤가요? 이곳은 자매님이 없어 모임도 별로 없고 속 풀어줄 분도 없어요. 그래서 더욱 그립습니다. 요즘 미사 때, 자녀들이 요한 형제님과 함께 오고 있어요. 그 모습 보고 계시나요? 그러고 보니 자녀들에게 정말 소

중한 신앙의 유산을 남겨주셨습니다. 시간이 더 흘러 그곳에서
만나면 우리 해장국 같이 먹어요."

내가 오늘
너를 찾아가겠다

첫 본당 사목지에 도착한 지 나흘째 되는 날이었습니다. 2월 끝자락임에도 바람은 더욱 차갑게 느껴졌습니다. 주변 환경도 낯설고 아는 이도 한 사람 없는 이곳에서 하느님께서 어떻게 삶을 열어주실지 기대하는 나날이었습니다.

긴장감과 설렘으로 교중미사를 봉헌하였고 본당 교우들의 환영인사도 받았습니다. 그렇게 오전이 정신 없이 흘러가고 오후에 앞동산에서 운동을 하고 성당으로 돌아왔습니다. 시골 성당이라 미사가 없을 때는 그야말로 개미 한 마리도 없이 조용했습니다. 아직 성당이 공사 중인지라 앞쪽으로 보이는 조경 부지도 황량했습니다. 성당 맞은편 3층 당구장 건물을 바라보니, 그 집 개가 "멍 멍 멍" 짖어댈 뿐이었습니다.

나른한 오후, 성당 안으로 자가용 한 대가 들어왔고 한 노부부가 차에서 내렸습니다. 점잖은 옷차림을 보아 하니 도시에서 오신 분 같았습니다. 두 분은 성당을 둘러보다가 체육복을 입은 저를 보고 다가왔습니다.

"성당 사무실이 어디입니까?"

"네, 저기인데요. 지금은 닫혔습니다."

"그럼 저녁에 미사가 없나요?"

"여기는 없고 공소에 미사가 있어요."

"성당에서 일하시나 봅니다."

"네, 사실 저는 며칠 전에 이곳 성당으로 부임한 모세 신부입니다."

"아, 그렇군요. 학생인 줄 알았습니다. 신부님이 참 젊으시네요."

체육복 차림의 젊은 대학생 같아서 노부부는 더 놀라신 듯했습니다. 이내 우리는 이런저런 이야기를 나누었고 성당 이곳저곳을 함께 둘러보았습니다. 노부부는 여기서 좀 떨어진 곳에서 수십 년을 살아왔는데 퇴촌에 성당이 있는 줄 모르셨다가 지나는 길에 십자가를 보고 이곳으로 들어왔노라고 사연을 말해주었습니다. 아마도 성당이 건축된 지 1년도 채 안 되었기 때문에 잘 몰랐을 것입니다.

나 또한 이 성당에 온 지 며칠 안 되었으니 성당 구경이나 함께 하자고 제안하였습니다. 우리는 그렇게 성당 이곳저곳을 둘러보다가 아직 정리되지 않은 조경 부지를 거닐었습니다.

"신부님, 이곳에 나무를 심어야겠네요?"

"네, 나무를 심어 새가 날아오면 참 좋겠어요. 그런데 나무를 사기에는 아직 성당에 어려움이 많은 것 같아요."

노신사는 제게 미소를 보이셨습니다.

우리는 그렇게 퇴촌성당 전입 동기가 되었습니다. 며칠이 지난 후 그분들로부터 점심식사 초대를 받았습니다. 첫 만남이 유쾌했던지라 저는 초대에 응했고 알려주신 집주소로 차를 몰았습니다. 도착해보니 집은 보이지 않고 대문에 수목원 이름이 쓰여 있었습니다. 주변을 둘러보니 잘 가꾸어진 갖가지 나무들이 자라고 있었습니다. 잠시 후 인기척이 들리더니 노신사가 밝은 모습으로 문을 열어주었습니다. 점심식사를 하면서 우리는 가족, 살아온 삶, 취미 등 여러 가지 이야기를 나누었습니다.

그분들은 젊은 신부를 아주 친절하게 맞아주었고 극진히 대접해주었습니다. 분에 넘치게 대접을 받고 돌아가려는데 노신사는 다시 조심스레 말을 건넸습니다.

"신부님, 나무가 필요하시면 제 집에서 얼마든지 가져가십시오."

"감사합니다. 하느님께서 어르신을 만나게 해주신 이유가 있었군요."

여름이 되어 황량한 성당 마당에 성모상을 모셨습니다. 교우들은 이제 성모상 앞에서 기도한 뒤에 성당으로 올라갑니다. 문제는 성모상 앞에서 기도할 때마다 앞 건물의 개들이 "멍 멍 멍"하고 짖는 것입니다. 내 집에서 내가 기도하는데 개가 짖어대니 기분이 좋을 리 없었습니다.

가을이 되어 드디어 조경 공사가 시작되었습니다. 노신사의 말씀이 귀에 울렸습니다. "신부님 나무가 필요하시면……."

성당 봉사자들과 함께 노신사의 수목원으로 향했습니다. 우리는 그곳에서 30미터가 넘는 향나무를 여섯 그루, 주목나무 세 그루, 단풍나무 세 그루, 목련나무 세 그루, 그 밖의 크고 작은 나무들을 옮겨왔습니다. 큰 향나무들로 성모상 뒤에 수벽을 치고 다른 나무들로 주변을 꾸몄습니다. 잇따라 다른 교우분들이 소나무와 다른 작은 나무들도 기증해주셨습니다.

이듬해 봄이 되니 새들이 찾아왔습니다. 교우들은 알록달록 채색한 새집을 만들어 나무에 올려두었습니다. 사제관 창문을 열고 잠자리에 들면 새 짖는 소리에 깨는 날도 있습니다. 이제 성모상 앞에서 기도하고 있어도 개가 짖지 않습니다.

퇴촌성당 작은 숲은 이렇게 만들어졌습니다.

손님이 찾아오면 주님을 대하듯 진심으로 맞아야 합니다. 그러다 주님을 만나게 되니까요. 어느 날 하느님께서는 해질녘 노을이 하늘에 물들 듯이 고요하게, 가을 나무 사이로 이는 바람처럼 살며시, 안개 속 햇살처럼 환하게 우리에게 다가오십니다.

아무도
몰래

새해 아침, 하얀 눈이 온 세상 위로 소복이 내렸습니다. 지난 해의 과오와 기억에서 지우고픈 사건들을 모두 흰 눈으로 새 하얗게 만드신 하느님 자비의 손길을 느끼는 새벽이었습니다. 창문을 여니 동녘 하늘 샛별이 보입니다. 찬 바람이 두 볼을 스칠 때, 새로운 계획과 다짐들은 마음 안으로부터 벅차오릅니다.

흰 도화지 같은 성당 정원을 바라보았습니다. 발자국을 따라가니 한 남자가 촛불 하나를 밝혀 성모님께 봉헌하고 두 손을 모아 기도하고 있었습니다. 아무도 몰래, 아무도 몰래, 그 남자는 기도합니다. 무슨 사연으로 이른 새벽 홀로 기도하러 왔을까요?

예수님과 성모님은 아시겠지요. 그의 감은 두 눈의 고요함과 모은 두 손의 간절함이 전해져 숨은 일도 보시는 하느님 아버지께서 그의 기도를 들어주실 것입니다.

어느 봄날 새벽, 차 한 대가 성당에 들어왔습니다. 마침 산으로 아침 운동을 가려던 차에 사제관 모퉁이에서 한 자매님의 뒷모습을 바라보았습니다. 이제 막 동이 틀 때 이 여인은 야외 '십자가의 길' 사이사이에 가져온 꽃을 옮겨 심습니다. 조루에 물을 담아 이곳저곳 물도 줍니다. 아무도 몰래, 아무도 몰래, 여인은 그렇게 꽃을 심어놓았습니다. 무슨 사연으로 이 새벽에 홀로 꽃을 심었을까요? 고요한 성당 정원에서 아름다운 사람의 꽃 한 송이 피어 오릅니다.

성모님과 예수님은 아시겠지요. 그녀의 두 손에 담긴 정성을, 그녀에 마음에 담긴 성전 사랑이 전해져 숨은 일도 보시는 하느님 아버지께서 그녀에게 천상의 선물로 갚아주실 것입니다.

비 오던 어느 날, 한 사람이 성체 앞에 머물러 있습니다. 저는 알고 있습니다. 삶의 질곡 속에서 예기치 못한 시련들이 찾아와 이제 그만이라고 외치고 싶은 나날들을 눈물로 밤을 지새운 여인이었습니다. 그녀는 가족에게 큰 상처를 받고 외롭게 버려졌습니다. 당면한 현실에 화를 내고 싶고 세상을 원망하고도 싶은데 기댈 곳이 없어 예수님께 왔습니다. 그러나 그녀는 얼굴을 찡그리지도 세상을 원망하지도 않습니다. 오히려 기름을 바르고 얼굴을 씻어 하느님 앞에 나왔습니다.

아무도 몰래, 아무도 몰래, 그 여인은 예수님 무릎에 기대어 쉬고 있습니다. 영혼으로부터 샘솟는 물을 주시는 예수님으로부터 위안을 받고 힘을 얻습니다. 그리하여 만나는 이들에게 친절한 말을 건네며 어린아이처럼 웃으며 아낌없이 봉사하니 숨은 일도 보시는 하느님 아버지께서 다 갚아주실 것입니다.

하느님께서는 우리들의 머리카락 하나까지도 세고 계시며, 당신의 눈동자에 우리를 곱게 담아 노심초사 바라보십니다. 왜냐하면 하느님께서는 우리의 아버지이시고 어머니이시기 때문입니다.

아무도 몰래, 아무도 몰래, 우리가 누군가를 위해서 선한 마음을 전해주고, 누군가를 위해서 기도하며, 누군가를 위해서 희생하면 하느님께서도 아무도 몰래 그 마음을 고이고이 담아 천상으로 가져가십니다.

"눈으로 본 적이 없고 귀로 들은 적이 없으며 아무도 상상조차 하지 못한 일을 하느님께서는 당신을 사랑하는 사람들을 위하여 마련해 주셨다." (1고린토, 2장 9절)

꽃과 가시

비 오는 회색빛 하늘 아래

분홍색 장미꽃 한 송이 피어난다

바라보기만 해도 좋은걸

옆에만 있어도 편안한걸

향기만 맡아도 취하는걸

가슴 깊이 품었더니

아려오는 가시 하나

어린 마음 울린다

진정 몰랐는가

사랑의 꽃에는 가시가 있음을

한낮에도 어둠이 있지 않은가

미소에도 슬픔이 배어 있지 않은가

아프다고 하지 마라

두렵다 하지 마라

아파도 품어야 참 희생이요
내어주고 또 내어줌이 참사랑이다

◇◇◇

어떤 사마리아인은 그가 있는 곳에 이르러 그를 보고서는, 가엾은 마음이 들었다. 그래서 그에게 다가가 상처에 기름과 포도주를 붓고 싸맨 다음, 자기 노새에 태워 여관으로 데리고 가서 돌보아주었다. 이튿날 그는 두 데나리온을 꺼내 여관 주인에게 주면서, "저 사람을 돌보아주십시오. 비용이 더 들면 제가 돌아올 때에 갚아 드리겠습니다." 하고 말하였다. 너는 이 세 사람 가운데에서 누가 강도를 만난 사람에게 이웃이 되어주었다고 생각하느냐?" 율법 교사가 "그에게 자비를 베푼 사람입니다." 하고 대답하자, 예수님께서 그에게 이르셨다. "가서 너도 그렇게 하여라."(루카 복음, 10장 33~37절)

4부

그대는 나의 행복, 나의 사랑

사랑은
마음으로 하는 것

신학과 4학년 시절 사회복지 실습으로 대구 고령에 위치한 국제재활원에 40여 일 동안 장애인들과 함께 지내게 되었습니다. 그곳 장애인들은 서로를 '복덩이'라고 부릅니다. '복덩이', 역설적이지만 어찌 보면 참 맞는 호칭임을 하루 하루가 지나면서 알게 되었습니다.

제게 맡겨진 소임은 몇 주간 동안 단순 작업이 가능한 직업재활원 복덩이 친구들과 함께 작업장에서 일하고, 또 다른 몇 주간은 중증장애인 복덩이 친구들의 기저귀를 갈아주거나 목욕을 시켜주고 음식을 먹여주는 일이었습니다. 작업장에서 지내는 시간은 아주 재미있었습니다. 복덩이 친구들과 신나게 놀았거든요. 그러다 보니 하루가 끝나갈 무렵이면 지치게 되었습니다.

어느 날 저녁식사를 하고 정원 벤치에서 쉬고 있었습니다. 그때 전동휠체어를 탄 수산나라는 소녀가 오더니, 눈을 감고 있는 저에게 자장가를 불러주는 것입니다.

"엄마가 섬 그늘에 굴 따러 가면 아기가 혼자 남아 집을 봅니다. 바다가 들려주는 자장노래에 팔 베고 스르르르 잠이 듭니다."

말도 제대로 못하며 손가락만 겨우 움직여 휠체어에 몸을 맡기며 살아가는 이 소녀는 그렇게 지쳐 있는 제게 자장가를 불러주었습니다. 정말이지, 눈물이 날 정도로 고맙고 감동스러웠습니다. '나는 살아오면서 이런 감동적인 자장가를 그 어떤 지친 이에게 불러준 적이 있는가?' 그때 저는 깨달았습니다. 진짜 정상인은 누구이며 장애인은 누구인가? 바로 내가 장애인이구나.

그곳에서 아이의 영혼처럼 순수한 복덩이 친구들로부터 많은 배움을 받고 사랑을 느끼게 되었습니다. 그들은 상대방을 향해 열린 마음을 갖고 있었고, 소박하지만 할 수 있는 최선의 방법으로 사람들을 도와주고 있었습니다. 한 달이 지나 그곳을 떠나며 복덩이 친구들과 다음과 같은 약속을 했습니다.

"열심히 공부해서 사제서품을 받은 후, 안성 포도 가지고 다시 올게요."

2년 후 저는 부제서품을 받았고, 그곳으로 다시 향했습니다. 그런데 저는 포도가 아닌 아이스크림을 두 손 가득 사서 갔습니다. 친구들은 저를 환영해주었고, 특히 수산나라는 소녀는 감격해했습니다. 그리고 제게 "많이 기다렸다"고 하면서 "포도 가져 온다고 약속했는데 포도가 아닌 아이스크림을 가져왔다"고 알려주었습니다. 그 소녀는 "학사님과 약속한 대로 더 아픈 사람을 위해 기도하고, 학사님이 훌륭한 신부님이 되도록 기도했다"고 말했습니다. 약속조차 기억하지 못해 많이 창피해진 저는 "내년 첫 미사에 포도를 꼭 가져오겠다"라고 다시 약속을 했습니다.

그로부터 1년 후 사제서품을 받고 저는 기차를 타고 다시 대구로 향했습니다. 이번에는 잊지 않고 포도 한 트럭을 미리 그곳으로 보냈습니다. 그리고 기차에서 기뻐할 복덩이 친구들을 떠올리며 행복해했습니다.

재활원에 도착해보니 심상치 않은 분위기가 감돌고 있었습니다. 원장신부님께서는 "한 복덩이 친구가 지금 하느님 품으로 가려 합니다. 첫 미사 전에 먼저 안수를 해주십시오"라고 부탁을 하셨습니다.

저는 병실로 향했고, 침대에 누워 있는 사람은 다름 아닌 제게 자장가를 불러주었던 수산나라는 사실을 알게 되었습니다. 북받치는 감정을 안고 수산나의 손을 잡고 "모세 학사, 신부 되어서 약속 지키러 왔어"라고 말했습니다. 그 소녀는 제게 "학사님" 하고 나지막이 말했습니다. 저는 간절한 마음으로 그 소녀에게 안수했습니다. "아버지 이 영혼을 받아주십시오."

이후 모든 복덩이 친구들과 함께 첫 미사를 드렸습니다. 제의를 벗고 나오는데 원장 신부님께서 "신부님께서 다른 친구들 안수 줄 때 수산나는 하느님 품으로 편안히 갔습니다"라고 전해주셨습니다.

돌아오는 밤기차에서 내내 눈물이 멈추질 않았습니다. 창 밖 너머 가로등 사이로 웃는 수산나의 얼굴이 스쳐 갔습니다. 그녀가 제게 말없이 건네는 미소는 그 어떤 영성 대가의 글과 강연보다도 더 큰 가르침을 주었습니다.

"사랑은 듣거나 말하지 못해도, 움직일 수 없다 할지라도 전해져요. 왜냐하면 마음으로 하는 거니까요."

두 천사의 이름은
아빠 그리고 엄마

어린이 미사가 끝난 후 한 어린이가 물었습니다.

"신부님, 수호천사는 어디에 있어요?"

그 어린이에게 '하느님께서 우리 모두를 보호해주시기 위해 천사를 보내주셨다'고 설명해주었습니다. 그 어린이는 자신의 수호천사가 주변에 보이질 않으니 궁금했나 봅니다. 질문을 받고 우물쭈물하다 저는 이렇게 대답해주었습니다.

"하느님께서 너에게 두 천사를 보내주셨는데, 한 명은 '아빠'라는 이름을 가졌고, 또 한 명은 '엄마'라는 이름을 가졌단다. 아빠는 너를 지켜주고 엄마는 너를 보살펴준단다."

어린이는 좀 생각을 하더니 고개를 끄덕이다가 "그런데 왜 날개가 없어요?" 하고 다시 묻습니다. 조금씩 당혹스러워졌습니다. 그래도 어린이를 실망시킬 수 없으니 이렇게 대답했습니다.

"나중에 네가 커서 엄마 아빠의 사랑을 깨닫게 되면 그 날개를 볼 수 있을 거야!"

우리 모두에게는 하느님께서 보내주신 아빠, 엄마라는 두 천사가 있습니다. 어릴 때는 잘 모릅니다. 그러다 철이 들면 지난 추억을 통해 깨닫게 됩니다.

어린 시절 엄마 손을 잡고 가다가 길을 건너기 위해 횡단보도에 서 있었습니다. 파란 불을 기다리던 그때, 빗방울이 떨어지기 시작했고 이내 굵은 빗방울이 쏟아졌습니다. 주변 사람들은 비를 피하기 위해 이곳저곳으로 사라져버렸어요. 제가 걱정 속에서 당황하고 있는 바로 그때, 엄마는 코트를 열어 저를 감싸 안아주었습니다. 전 코트깃 사이로 보이는 엄마를 아래에서 위로 바라보고 있었습니다. 헤아릴 수 없는 많은 빗방울이 쏟아지고 있었고, 엄마는 그 쏟아지는 비를 온몸으로 맞고 계셨습니다. 엄마와 저는 눈이 마주쳤어요. 그러자 엄마는 저를 바라보시며 미소를 지으셨고 빗물이 들어갈까 염려되어 코트를 더욱 조여 안아주셨습니다. 엄마가 비를 맞고 젖어가는 내내, 저는 비 한 방울 맞지 않고 코트 안에서 따뜻한 온기를 느꼈습니다.

그렇게 우리는 빗방울이 쏟아지는 거리에서, 하느님이 감독

하는 아름다운 영화 한 편을 찍고 있었습니다. 이렇게 어머니의 사랑은 제 가슴속에 따뜻함으로 아로새겨지게 되었습니다.

어머니의 사랑은 하느님의 사랑을 닮았습니다. 하느님의 사랑 또한 그러합니다. 세상의 온갖 유혹과 시련들이 소나기처럼 우리에게 퍼부어지더라도 하느님께서는 그 모든 것을 떠안고 우리를 감싸 안아주십니다. 우리가 그 품을 떠나려 할지라도 더욱더 세게 우리를 두 팔로 안아 당신 사랑 안으로 잡아 당기십니다.

살아오면서 '하느님의 사랑이 과연 어떤 느낌일까?'라고 스스로에게 묻게 될 때, 늘 어린 시절 비 내리는 횡단보도 앞 추억을 떠올립니다. 세상의 세찬 바람과 악마의 유혹이 빗방울처럼 떨어질지라도 하느님께서는 그 너그럽고 사랑스러운 품으로 우리를 끌어안으시어 보호해주십니다.

사랑이란 어떤 모습일까요? 자신은 비에 맞아 젖어도 자녀를 감싸 안아 보호하는 엄마의 마음 같은 것이 아니겠습니까? 십자가에 매달리신 예수님께서 종종 우리를 바라보시며 웃으시는 것 같을 때가 있습니다. 하느님께서는 우리에게 엄마라는 천사를 보내주셔서 하느님 사랑을 알고 느끼게 하십니다.

자전거를 처음 배웠던 초등학생 때입니다. 아빠와 저는 학교 운동장으로 갔습니다. 아빠는 자전거의 뒤를 잡아주고, 저는 안장에 올라 페달을 밟았습니다. 그런데 아빠가 잡아줄 때는 잘 나가는데, 손을 놓으시면 넘어져버리는 거예요. 혼자 타는 것이 두려웠나 봅니다. 자꾸 넘어지니까 아빠가 제게 이렇게 말씀하셨어요.

"내가 잡고 있다고 생각하고 가렴."

저는 그렇게 자전거를 배웠습니다. 지금도 이 말씀은 삶의 어려운 순간 속에서 흔들리는 저를 잡아주는 말씀으로 남아 있습니다. 아버지는 저를 남겨두고 하느님께로 돌아가셨지만, 어릴 적 하셨던 그 말씀이 가슴 저편에서 울리면 아주 가까이 계시는 듯합니다.

아버지는 우리가 홀로서기를 할 때까지 뒤에서 나를 잡아주는 사람입니다. 인생 길에서 넘어졌을 때 일으켜주시고, 실패하고 세상 밖으로 팽개쳐져 있을 때 가까이 오시어 내 편이 되어주십니다. 아버지의 사랑이 투박하고 엄격하고 때론 무뚝뚝할지라도 하느님 사랑을 닮았습니다. 철이 들면서 점점 깨닫게 됩니다.

하느님께서는 낳으신 자녀들을 모두 사랑하고 싶은데 세상

에 사람들이 너무나 많아 천사들에게 그 역할을 맡기셨고 인간
세상으로 보내주셨습니다. 그 두 천사의 이름은 아빠, 엄마인
데, 세상 모든 어린 아기들이 눈을 뜨고 가장 먼저 부르는 이름
이며 영원히 잊지 못하는 이름입니다.

키 작은 여인

내 어머니의 키는 코스모스처럼 작아요

못난 자식 키워주려 세상풍파 견디느라 그러셨죠

요즘 따라 어머니의 키가 더욱더 작아 보입니다

아들이 목숨 바쳐 하느님을 사랑하지 못해 그런가 봅니다

아들이 내 몸처럼 형제를 섬기지 못해 그런가 봅니다

오늘도 어머니의 키는 더 작아집니다

아들의 허물까지 기도로 봉헌하셨기 때문이지요

내 어머니의 키는 수선화처럼 작아요

가난한 가족 살리려 삯바느질 하며 뜬눈으로 겨울 밤을 새웠기
때문이죠

요즘 따라 어머니의 키가 더욱더 작아 보입니다

세상에 굶주린 배를 움켜쥐는 이가 많아서인가 봅니다

아픈 이의 눈물이 마르지 않아서인가 봅니다

오늘도 어머니의 키는 더 작아집니다

척박한 세상 희생의 단비가 되어 자신을 뿌렸기 때문이지요

잎 떨어지고 꽃이 질지라도 사랑의 뿌리만은 남기셨기 때문이

지요

사랑으로
눈이 뜰 때

새로운 교리반이 시작되었습니다. 해마다 늘어가는 예비자들을 볼 때면 밥을 먹지 않아도 배부르고 눈을 감으면 얼굴 위로 미소가 드리워집니다. 교리반에 오시는 분들은 저마다의 사연을 가지고 있습니다. 아픈 딸을 위해 기도하고 싶은 할머니, 옆집 천주교 신자의 모범적인 선행을 보고 찾아온 한 중년의 자매님, 세상의 회오리바람 속에서 길을 잃고 고통과 번민 속에서 하느님의 부르심을 들은 한 남자, 그리고 암 투병하는 아내를 위해 기도하는 남편 등 다양한 사연이 있습니다.

환갑을 넘은 한 신사가 교리반에 들어왔습니다. 이분께서는 아내가 주일미사에 올 때면, 늘 차로 데려다줍니다. 그런데 정작 자신은 성당 바깥에 세워둔 차에서 기다립니다. 또한 아내가 성당 봉사활동으로 좀 늦으면, 아니나 다를까 아내를 데리러 다시 옵니다. 그분을 처음 만난 것은 가정방문 때였고, 함께 차를 마시며 이야기를 나눈 정도였습니다. 형제님은 천주교 입교에 적극적이지는 않았지만 그래도 다행이 마음만은 열려 있었습니다.

어느 날 자매님으로부터 슬픈 소식을 전해 들었습니다. 시력이 서서히 사라지는 희귀병을 남편이 앓게 되었다는 소식이었습니다. 봉사활동을 열심히 하시는 자매님께 이런 안 좋은 일이 생겨 마음이 아려왔습니다.

이후 두 분은 성지순례를 다녀왔고, 많은 대화를 나눈 후, 형제님의 자유의사로 교리반에 등록했습니다. 교리반 신청 수는 5명인데 첫 교리에 여섯 분이 오셨습니다. 이유인 즉 자매님께서 남편과 교리 과정 전체를 함께 동반하시기 위해 오신 것입니다. 교리 중에 자매님이 남편을 위해 성경도 펼쳐주고 이런저런 도움을 주는 모습을 보면서 잔잔한 감동이 밀려왔습니다. 우리 모두는 교리수업 듣는 든든한 학부모님 한 분을 맞이하게 되었습니다.

교리가 진행되면서 두 분의 아름다운 사랑의 모습은 교리반 식구들을 고운 사랑의 빛깔로 물들였습니다. 형제님은 다리가 불편한 할머니를 집까지 모셔다 드렸고, 자매님은 맛난 간식도 준비해주셨습니다. 서먹서먹한 분위기는 화기애애해지고 서로가 마음을 열기 시작했습니다.

그렇게 아름다운 시간들이 흘러가고, 우리는 모두 하느님께서 마련하신 세례의 은총 바다에 도착했습니다. 주일날 이제 형제님은 성당 밖 차에서 기다리지 않습니다. 하느님께서 묶어주신 신앙으로 형제님과 자매님은 두 손을 꼭 잡고 말씀을 듣고 성찬례에 참례하시기 때문입니다.

남편의 눈이 서서히 멀어갈 때, 아내는 남편의 눈이 되어주었습니다. 자매님은 남편의 영적인 눈이 되어주었지요. 남편이 예기치 못한 십자가 고통을 겪을 때 아내는 그 고통을 외면하지 않고 함께 짊어지고 갔습니다. 우리 모두는 희망 속에서 이 십자가의 끝에 부활이 오리라 믿고 있습니다.

세월이 지났습니다. 또 다른 한 남자가 교리반에 들어왔습니다. 이분도 사연이 있었습니다. 암 투병하는 아내를 위해 기도하고 싶어 교리반에 들어온 것이었습니다. 어느 날 그분으로부터 급한 전화가 왔습니다.

"신부님, 아내가 큰 수술을 하러 들어갑니다. 오셔서 기도해주실 수 있으신지요?"

형제님의 목소리는 너무도 절박하고 간절하였습니다. 일산

암센터로 운전대를 잡았습니다. 병자성사 후 우리는 함께 기도했습니다. 자매님은 대수술을 잘 마치고 현재 요양 중이신데 인편으로부터 반가운 소식을 듣게 되었습니다. 자매님의 건강 상태가 많이 호전된 것입니다.

남편의 세례는 자매님에게 어느 치료약보다도 더 큰 위안과 기쁨이 되었습니다. 그리도 바라던 남편의 세례는 이렇게 이루어졌습니다. 하느님께서 당신 사랑을 드러내시는 모습은 참으로 오묘하십니다.

사랑은 오월의 꽃동산보다 아름답고 시월의 하늘보다 푸르고 높습니다. 사랑은 어두운 곳에서 빛이 되고 메마른 곳에 단비를 내려 생명을 움트게 합니다. 사랑은 보이지 않던 천상을 사랑하는 이와 함께 바라보게 합니다. 사랑은 떨어지지 않고 함께 머물게 합니다. 사랑은 두 손을 잡아 서로의 온기를 전해 줌으로써 찬 마음을 따뜻이 데워줍니다. 사랑이 이토록 아름다운 것은 사랑하는 이를 위해 자신을 비우고 내어놓는 희생이 있기 때문입니다.

우리가 사랑으로 눈을 뜰 때 일어나는 표징들입니다.

아들을 기다리는
할머니

"할머니 이게 뭐예요?"

"신부님 손이 너무 차서 내가 직접 만든 거여."

인진쑥 한 주머니를 가져오신 할머니, 이 많은 걸 빚으시며 무슨 생각을 하셨을까? 성당 가족들에게 뭐든지 나눠주시길 좋아하는 베아다 할머니는 우산리 길가에 있는 집, 한 쪽방에서 살고 계십니다. 부지런하셔서 아무도 돌보지 않는 땅에 농작물을 심어 수확하여 주변 사람들에게 나누어주십니다. 성당에 오실 때는 늘 곱게 차려입고 오시는데, 성체를 영하실 때는 수줍은 소녀 같습니다. 미사 후, "할머니, 오늘 누구 좋은 사람 만나시나 봐요"라고 농을 하면, 손사래를 치시며 웃으시는데 그 미소가 해바라기꽃 같습니다. 여든이 가까운 할머니는 안타깝게도 자녀들의 돌봄 없이 살아가십니다. 오히려 몸 아픈 자식 걱정하면서 기도해달라고 부탁하십니다. 자녀들의 아픈 사연을 이야기하는 내내 할머니 눈에는 이슬 같은 눈물이 맺힙니다. 그 눈물에는 세월이 흘러도 변함없는 어머니 사랑이 담겨 있습니다.

원당리에 사는 모니카 할머니, 이분은 미사 후 저의 손에 노란 쥬시 껌을 쥐여주시는데, 어떤 날에는 초콜릿이나 양갱을 주실 때도 있습니다. 그래서 몇몇 신자분들은 '껌 할머니'라고 부르는데, 저는 '노란 손수건 할머니'라고 부르길 좋아합니다. 헤어지면서 껌을 주시는 느낌이 '노란 손수건'이란 노래와 어울려서요.

요즘 모니카 할머니는 성당에 못 나옵니다. 지난 겨울부터 건강이 악화되면서 거동도 불편해지셔서 집에서 겨우 기본적인 생활만 하십니다. 기초생활수급자이시고 몸까지 불편하기 때문에 시청에서 '도움이' 한 분이 파견되어 청소와 점심식사를 거들어줍니다.

병자 영성체 날이 오면 모니카 할머니와 정기적으로 만납니다. 마을에서 산 쪽으로 난 길을 굽이굽이 올라가면 그 길이 끝나는 곳에 모니카 할머니가 살고 있는 작은 조립식 판넬 집이 보입니다.

"할머니, 예수님 모시고 왔어요"라는 소리에 겨우 몸을 일으

키시는 그녀. 눈물겹게 성체를 모시는 모습도 큰 감동인데, 가는 제 손을 붙잡고 교무금 통장과 주일헌금을 건네십니다. 제가 참 민망해서, "할머니 괜찮아요. 그냥 할머니 위해서 쓰세요"라고 말씀드리면, 할머니는 "아유~ 가져가!"라고 손에 기어이 쥐여주십니다.

할머니의 이 고운 봉헌의 마음을 고이 모셔가야겠다는 생각으로 받아오지만 왠지 마음 한켠에는 죄송스런 마음을 지울 수 없습니다. 재산 자랑하는 사람들은 교무금 만 원 한 장도 내기 싫어하는데 거동도 불편한 할머니의 봉헌 모습에 또다시 고개가 숙여집니다. 마지막 인사를 건넬 때, 할머니는 잊지 않고 제 손에 껌을 쥐여주십니다. 참, 받아도 너무 많이 받고 옵니다.

모니카 할머니께서는 혼자 사십니다. 아들이 있는데 언젠가 돌아올 거라고 지금도 기다리십니다. 몇 년째 아들은 오지 않습니다. 그러나 많은 사연들을 뒤로하고 사랑하는 아들이 올 때까지 할머니는 이곳에 계속 있을 것입니다. 어머니는 다 그런가 봅니다.

"예수님, 우리 할머니들이 너무 오래 기다리지 않도록 해주세요."

내게
기대셔요

교우들이 겪는 많은 어려움과 상처들은 의외로 가족들과의 관계 안에서 발생하는 것들이 많습니다. 믿고 사랑했던 배우자로부터 받은 상처와 불신, 부모님으로부터 사랑과 인정을 받지 못해 상처 입은 자녀들, 친족 간에 생긴 유산과 경제적 문제들, 육체적·정신적 병으로 고통받는 가족구성원에 대한 걱정과 고달픔 등……. 가장 사랑받아야 할 가족들로부터 사랑이 채워지지 않기에 삶이 더욱 외롭고 힘겨운 나날의 연속입니다.

한 냉담 교우가 어렵게 사제 집무실로 찾아오셨습니다. 이분이 냉담한 이유는 신자들과의 인간관계 문제도 아니며 신앙 생활의 회의도, 경제적인 어려움도 아닌 가족 간의 문제였습니다. 결혼 초부터 시작된 남편의 거짓말들이 쌓이면서 남편에 대한 신뢰가 사라졌습니다. 급기야 그분은 우울증에 빠졌고 술을 마시는 날이 많아졌습니다. 대학에 다니는 자녀는 엄마의 마음을 온전히 이해하지 못했고 따로 살며 자신의 일로 바빴습니다. 가장 가까이에서 사랑과 위로를 받아야 할 가족에게 자매님은 기댈 수 없었던 것입니다.

평소 알고 지내던 한 자매님께서 갑작스레 닥친 경제적 어려움으로 찾아오셨습니다. "신부님, 죽고 싶습니다." 부유하게 아무 걱정 없이 사시던 분이 하루아침에 거리로 나 앉는 처지가 되었으니 그 상실감과 절망은 당연했습니다. 사연을 듣고 그분에게 이렇게 말했습니다.

"비록 지금, 모든 것을 잃었다고 생각되시겠지만 사실 자매님에게 가장 소중한 것들은 고스란히 그대로 남아 있잖아요. 성실한 남편과 꿈이 있는 자녀들이 있잖아요. 그들을 생각해서라도 희망 잃지 말고 살아가셔야 합니다."

수개월 후, 자매님은 묵주를 손에서 놓지 않고 있다고 말씀하셨습니다. 그리고 일자리를 찾았고 자녀들은 부모님을 더욱 사랑하며 여전히 밝게 살아가고 있었습니다. 그 자매님은 세상의 소중한 것들이 무엇인지 알고, 자신이 기댄 곳에서 위로를 얻고 계셨습니다.

아무리 어려운 일이 닥쳐오더라도 내게 가장 소중한 가족이 어깨를 토닥거리고 안아준다면 이겨나갈 수 있습니다. 반면 가족조차 나의 아픔과 고통을 알아주지도, 함께 해주지도 않는다면 우리는 살아갈 힘을 잃습니다.

수년 전 유학생 시절 때 이야기입니다. 갑작스런 아버지의 장례를 치르고 로마로 돌아와 깊은 상실감으로 우울하고 가족애가 그리운 시간을 보내고 있었습니다.

어느 날 동네 '산타 사비나Santa Sabina' 성당의 주일미사에 참례하기 위해 기숙사를 나섰습니다. 성당 뒤편 의자에 자리를 잡고 오르간 소리에 귀를 기울이고 있을 때, 성당 오른쪽 통로로 들어오는 한 노부부에게 눈길이 갔습니다. 아침 햇살이 스테인드글라스를 통해 쏟아지고 있었고, 그 아름다운 오색빛깔 사이로 노부부는 서로를 의지하며 걷고 있었습니다. 가만히 지켜보니 할아버지가 잘 걷지 못하는 할머니를 부축하고 있었습니다. 할아버지는 할머니를 먼저 자리에 앉혔습니다. 그러자 힘이 없는 할머니의 상체가 오른쪽으로 쓰러지는 것이었습니다. 바로 그때 할아버지는 자신의 왼쪽 어깨를 할머니의 쓰러지는 고개로 가져갔습니다. 아름다운 영화 속 한 장면이 그려지시나요? 서로가 서로에게 기대는 모습이었습니다.

뒷자리에서 그 과정을 지켜보던 저는 그 아름다움에 가슴이 미어졌습니다. 할아버지는 할머니를 위해 독서와 복음이 적힌

주보를 보여주며 하느님 말씀을 함께 들었고, 영성체 때도 할머니를 부축하여 예수님의 몸을 받아 모실 수 있도록 도왔습니다. 미사가 끝나고 할아버지와 할머니가 손을 잡고 성당 뒤편 문으로 걸어 오시는데, 저도 모르게 그분들에게 다가가 두 분의 손을 잡았습니다.

한참 동안 정적이 흘렀습니다. 당황하신 그분들께 저를 가톨릭 신부라고 소개했고, 두 분이 제 부모님 같아서 그랬노라고 말씀드렸더니, 저를 안아주시며 등을 토닥여주셨습니다.

가족이란 서로 기대어주는 사람들입니다. 남편이 사업에 실패하거나 실직했을 때 아내가 어깨를 가져가 기대어주어야 합니다. 아내가 우울증으로 힘들어할 때 남편은 그녀를 꼬옥 안아주어야 합니다. 자녀가 인간관계에 힘들어하거나 노력한 만큼 시험 결과를 얻지 못하더라도 그의 등을 두드려주어야 합니다. 성부와 성자와 성령께서도 서로가 사랑으로 기대어 구원 사업을 이루셨습니다.

지금 우리는 서로 기대면서 또 기대어주면서 살아가고 있나요? 당신 옆을 보세요. 그(녀)가 기대고 싶어 합니다.

10점 만점에
10점

"교수님, 한 번 더 말씀해주시겠습니까?"

로마에서 치르는 첫 번째 시험날, 저는 토미즘 학과에서 저명한 폴란드 출신 에드워드 카진스키 교수님을 만나고 있었습니다. 로마 교황청립 안젤리쿰 대학교에서는 지면 시험이 아닌 교수님과 일대일로 치러지는 구두orale 시험을 치러야 했습니다. 제가 교수님께 답한 첫 말은 시험에 대한 정답이 아닌 교수님의 질문을 알아듣지 못하고 다시 한 번 질문해달라는 요청이었습니다. 유학 생활을 시작한 지 1년이 넘었지만, 그 순간 저는 또 아무것도 알아듣지 못했습니다. 아직 이탈리아어가 서툴고 몹시 긴장한 탓인지 교수님의 입 모양만 보일 뿐 말들은 빛의 속도로 사라졌습니다. 등줄기에서 식은땀이 나고 얼굴이 붉어져갔습니다. 내 자신에 대한 절망감을 뒤로하고 용기를 내어 다시 청했습니다.

"교수님, 저의 이탈리아어가 서툽니다. 그러니 천천히 다시 한 번 질문해주십시오."

마지막 사정이라도 하듯 교수님께 부탁을 드렸습니다. 교수님은 한 단어 한 단어를 끊어서 질문해주셨습니다.

"Puoi spiegaremi com'è il rapporto tra la fede e la ragione in questione 1 della Summa Teologia I?"(《신학대전》1부 1문항에서 신앙과 이성 사이의 관계가 어떠한지 설명해보게나?)

빛의 속도로 흘러가는 수많은 단어 중에서 제 귓가에 들리는 한마디 말은 고작 'fede(신앙)'이라는 단어였습니다. 머릿속은 좀더 분주해졌습니다. 준비했던 15페이지 정리노트의 책장을 머릿속으로 넘기기 시작했습니다. "fede, fede, fede……." 빛이 보였습니다.

'맞아. 7페이지에서 많이 보았던 단어야. 그래, 됐어!'

저는 어느 정도 외워둔 노트의 7페이지 내용을 교수님 앞에서 따발총처럼 퍼부었습니다. 얼마가 지났을까? 교수님은 말을 하고 있는 저를 멈추게 하시고 환하게 웃으며 바라보셨습니다. 그리고 천천히 말씀하셨습니다.

"어느 나라에서 왔나?"

"네, 한국입니다."

"멀리서 왔군. 이탈리아어를 배운 지는 얼마나 되었나?"

"1년 3개월 정도 되었습니다."

"힘들지 않은가?"

순간 마음이 좀 저며왔습니다.

"괜찮습니다."

"공부를 어떻게 했는가?"

"교수님, 제가 말이 아직 서툴긴 하지만 요약한 내용을 외웠습니다."

교수님께서는 저를 배려하시며 아주 천천히 말씀해주셨습니다.

"모세 신부, 자네가 답변한 내용은 내 질문에 대한 답이 아닐세."

순간 제가 무언가 잘못 대답했다는 사실을 직감으로 알게 되었습니다. 얼굴은 빨개지고 몸은 차가워졌습니다. 창피한 것을 넘어서 첫 번째 시험뿐 아니라 앞으로의 시험을 어떻게 치를까 하는 두려움이 엄습해왔습니다.

교수님은 제게 질문의 올바른 답을 좀 길게 설명해주시며, 《신학대전》까지 펼쳐 보여주셨습니다. 저는 교수님의 설명을 다 알아들을 수는 없었지만 그분이 제게 전해주려는 사랑과 외국인을 배려하는 마음은 분명히 느낄 수 있었습니다.

교수님은 점수표에 10점을 쓰셨습니다. 만점이 10점이니 저는 만점을 받은 것입니다. 질문을 알아듣지 못해 세 번이나 다시 물은 학생, 답을 제대로 말하지도 못한 저는 그렇게 첫 번째 시험에서 10점 만점을 받았습니다. 교수님이 저를 바라보고 웃고 계셨습니다. 그리고 놀람과 기쁨 그리고 고마운 마음으로 고개를 떨군 제게 이렇게 말씀하셨습니다.

　　"모세 신부, 오늘처럼 열심히 공부하면 언젠가 과정을 잘 마치고 고국으로 돌아갈 수 있을걸세."

　　교수님께 감사 인사를 드리고 교실 문을 나와 한참을 서 있었습니다. 뭉게구름처럼 피어 오르는 희망으로 가슴이 터질 듯했고, 누군가에게 인간적인 대우를 받았다는 데 감사했으며, 참스승을 만났다는 사실에 뛸 듯이 기뻤습니다.

　　에드워드 카진스키 교수님은 안젤리쿰 대학에서 40년 넘게 교수 생활을 해오시다 2009년 병환으로 인해 고국 폴란드로 돌아갔습니다. 저는 교수님이 개설한 모든 과목을 수강했고, 늘 앞자리에 앉았습니다. 한번은 심부름으로 교수님 방에도 다녀왔는데 그 검소함에 많이 놀랐습니다. 천장이 높은 방 삼면에는 오로지 책뿐이었고 허름한 책상 위에는 컴퓨터 한 대, 한 켠에 흩어진 모카 커피가 전부였습니다. 창으로 불어온 바람이

흰 커튼을 부드럽게 날리며 교수님이 펼쳐놓은 책장을 넘기는
데 무엇인지 모를 감동이 밀려왔습니다.

이후 저는 한 이탈리아 교수로부터 다른 전공을 선택하라는
무시성 권고도 받았고, 또 한 교수로부터 반쯤 쓴 논문을 퇴짜
맞기도 했습니다. 그러나 저는 로마에서 치른 첫 번째 시험 때
에드워드 카진스키 교수님께서 들려주셨던 말씀을 늘 기억했
습니다.

"오늘처럼 열심히 공부하면 자네는 공부 잘 마치고 고국으
로 돌아갈 수 있을걸세."

에드워드 카진스키 신부님, 감사드립니다. 어디서든 건강하
세요. 신부님께 드릴 말씀이 있습니다.

"신부님은 제게 10점 만점에 10점입니다."

말 없는
시인

   우리 성당은 팔당 상수도 보호 구역에 위치해 있어 공기도 좋고 물도 맑습니다. 이러한 연유로 육체적 · 정신적으로 아픈 이들이 요양차 많이 찾아옵니다. 지역 내에 노인 요양시설도 많습니다. 한 달에 한번 4곳의 노인 요양시설을 찾아가 환자들에게 병자 영성체를 합니다. 그중 말없는 시인이 한 분 계십니다.

   안젤라 할머니는 침대 위에 누워 계시는데 할 수 있는 거라고는 고작 눈을 껌벅거리거나 고개를 좌우로 약간 움직이는 것이 전부입니다. 할머니는 오른손을 움직일 수 없으나 손톱에 예쁜 봉숭아 물이 들어 있어 꼭 어린아이 같습니다.

   안젤라 할머니를 처음 만난 것은 2011년 3월입니다. 할머니를 뵈었을 때, 적지 않은 충격을 받았습니다. 한눈에 이 할머니가 중병자임을 알 수 있을 만큼 마른 가지처럼 앙상했고 손과 팔은 비틀어져 있었으며 언어 표현을 하지 못하고 눈만 껌벅거렸습니다.

　이분에게 어떻게 말을 해야 하나 고민했고, 아무런 인격적
교감도 없이 병자 영성체를 하자니 마음이 불편했습니다. 그래
서 안젤라 할머니에게 이런저런 이야기를 독백처럼 들려주었
습니다. 예를 들면 날씨에 대해 알려드리고 요즘 핀 꽃 이야기
도 하고, 성당에 온 재미있는 사람들 이야기도 전해주었습니
다. 안젤라 할머니는 눈동자를 움직이며 조금씩 그 이야기에
반응을 보이셨습니다. 말씀은 하실 수 없었지만 이따금씩 좋
아라 미소를 지으셨습니다. 우리의 만남은 그렇게 지속되었습
니다.

　1년이 지났습니다. 할머니는 햇볕이 잘 드는 병실로 옮겨오
게 되었습니다. 그날도 병자 영성체를 하려고 성체보를 펴고
있었는데, 평소 못 보던 책 몇 권이 할머니 머리맡에 놓여 있었
습니다. 궁금하여 가장 위에 있는 책을 집어 보니 시집이었습
니다.

　〈사랑 그릇〉이란 제목의 시를 속으로 읽어나갔습니다. 공감
을 불러일으키는 작품이었습니다. 놀라운 사실은 저자의 이름
이 바로 '서정슬 안젤라'였습니다. 곧바로 할머니에게 물었습
니다.

"이 시집 안젤라 할머니께서 쓰신 거예요? 우와, 작가셨군요!"

그러자 할머니는 기뻐하며 눈을 동그랗게 뜨시고 저를 바라보았습니다.

"안젤라 할머니, 지금 유명한 작가 분의 시 한 편을 읽어드리겠습니다."

그렇게 안젤라 할머니께서 쓰신 시를 정성스레 낭독했습니다. 병실에는 다른 환자 3명, 직원 1명, 봉사자 3명이 함께 있었습니다. 모두가 조용한 마음으로 시를 들었습니다. 참 아름다운 시였습니다. 시 낭독을 마친 후, 우리 모두 안젤라 할머니를 향하여 박수를 쳤습니다. 할머니의 눈시울이 뜨거워지는 것 같았습니다.

병자 영성체를 마친 후, 저는 할머니에게 정중히 부탁을 했습니다.

"이 아름다운 시집을 저에게 빌려주시겠습니까? 교우들에게 소개하고 싶습니다."

그리고 우리 모두는 들었습니다. 바로 할머니의 목소리를 말입니다. 할머니는 병자 영성체로 만난 이후 제게 처음으로 말씀을 하셨습니다.

"네헤~."

몸부림치며 간신히 내뱉은 어눌한 말씀이었지만, 우리 모두는 할머니의 외마디 말을 들었습니다. 할머니는 팔다리를 움직이지 못했지만 머리와 몸을 움직여 분명히 우리에게 대답했습니다. 그리고 할머니의 눈은 그 어느 때보다도 반짝반짝 빛났습니다.

다음 달에는 제가 쓴 시를 할머니에게 들려주었습니다. 그렇게 우리는 가끔 시를 서로 나누는 사이가 되었습니다.

한 인간 존재가 눈동자를 움직이는 것 말고는 아무것도 할 수 없을 때, 얼마나 무기력하고 절망스러울까요. 그러나 그 사람의 존재를 이해하고 인격적인 대화를 주고받을 때 서로가 서로에게 꽃으로 다가오고 진정한 친구 관계가 형성됩니다.

요즘은 그곳 요양소에서 거동이 가능한 분들은 모두 안젤라 할머니 방에 와서 병자 영성체를 하십니다. 요양원 직원들, 봉사자들 그리고 함께 있는 우리 모두에게 안젤라 할머니는 '삶이 곧 시입니다'라고 말씀하시는 듯합니다.

안젤라 할머니는 지금도 마음의 원고지 위에 시를 쓰시며 잔잔한 여운을 줍니다. 그분은 말 없는 시인이기 때문입니다.

주교님과의
핑퐁게임

요즘은 교통이 발달하고 자동차를 이용하는 사람들이 많아져서 옛날에 비해 공소 공동체를 찾기가 그리 쉽지는 않습니다. 그러나 우리 성당 관할구역 안에는 공소가 두 곳이나 있습니다. 하나는 양평군에 위치한 강하공소이고, 다른 하나는 여주군에 위치한 산북공소입니다. 그중 산북공소는 퇴촌성당에서 자동차로 45분 정도 걸립니다. 산북은 산세 좋고 물 좋은 조용한 시골 마을입니다. 산북공소 공동체는 옛 교우촌처럼 알콩달콩 살아갑니다. 그 이유는 그곳에 주교님이 살고 계시기 때문입니다.

공소에는 보통 사제가 상주해 있지 않습니다. 그러나 산북공소에는 전임 수원교구 교구장이신 최덕기 바오로 주교님께서 사목하고 계십니다. 공소 신자들은 복이 많습니다. 저는 어린 시절에 경기도 용인의 장평공소라는 곳에서 신앙을 키우며 성장한 경험이 있습니다. 그때는 신부님이 공소에 거주하지 않아주일미사를 한 달에 한 번 참례했습니다. 그래서 신부님이 공소에 오시는 셋째 주일은 늘 잔칫날이었지요. 그런데 산북공소에는 매일 미사가 봉헌되니 공소 신자들은 정말 복이 많습니다.

주교님은 건강상의 이유로 교구장 직에서 물러나시고 공기 좋은 산북공소로 오셨습니다. 교구에서 마련한 다른 조용한 곳에서 쉬실 수도 있었으나 주교님은 "아직까지 내 아버지께서 일하고 계시며 나도 일하고 있습니다"(요한 복음, 5장 17절)라는 예수님의 말씀을 몸소 살고 계십니다.

가톨릭 사제는 주교님으로부터 사제 서품을 받고, 주교님의 권위 아래서 사제 직무를 수행하며, 주교님의 명에 따라 임지로 보내집니다. 저는 2005년 바오로 주교님으로부터 서품을 받고 사제가 되었습니다. 그런데 퇴촌성당 관할 구역에서 주교님이 저를 도와주시는 형국이 되었으니, 한편으로는 몸 둘 바를 모르겠고 또 한편으로는 놀랍고 감사한 일입니다.

퇴촌에 온 지 첫 해에는 주교님이 어려운 분처럼 보였습니다. 그러나 만남이 계속될수록 주교님은 편한 할아버지 사제로 느껴졌습니다. 어린이들이 놀이를 하면서 서로가 친해지듯이 우리 또한 사랑의 핑퐁게임을 하게 되었거든요.

어느 날 주교님께서 손수 기르신 상추를 한가득 보내오셨습니다. 주교님으로부터 서품 받은 사제들 가운데 주교님이 손수 기른 상추를 맛본 사람은 흔치 않을 것입니다. 이때부터 퇴촌성당과 산북공소 간에 사랑의 핑퐁게임이 시작되었습니다.

"신부님, 주교님께서 음식을 보내오셨습니다."
"뭐라고요? 주교님께서 음식을요?

찬합을 열어보니 갖가지 오색빛깔 반찬이 들어 있었습니다.

기쁜 마음은 저리 가고 송구스럽기 그지 없었습니다. 꼭 임금님 식사를 하사받은 느낌이었습니다. 이후 그 찬합에 맛난 음식들을 채워서 다시 인편으로 주교님께 보냈습니다. 그때는 몰랐습니다. 이것은 시작에 불과하다는 사실을 말입니다.

이후 주교님은 손수 담그신 효소와 술, 직접 텃밭에서 기르신 각종 야채를 보내오셨습니다. 저도 이에 뒤질세라 꿀, 능이버섯을 구했고, 과일과 바다에서 가져온 생선을 보내드렸습니다.

그 즈음 본당의 예술가 교우가 세 사람 정도 앉을 수 있는 그네 의자를 성당에 기증하셨습니다. 그분은 퇴촌성당에 하나 놓으시고, 또 하나는 산북공소에 선물했습니다. 이분도 사랑의 핑퐁게임에 참여하고 싶으셨나 봅니다.

우리의 핑퐁게임은 또 다른 모습으로 계속되었습니다. 산북에 바자회가 열리면 우리 교우들이 가서 돕고, 퇴촌성당에 바자회가 열리면 산북 가족들이 와서 함께했습니다. '본당의 날'에 체육대회가 열리면 주교님께서 오시어 교우들과 함께 웃고 뛰며 기차놀이를 하셨고, 산북공소에 행사가 있으면 퇴촌 교우들이 가서 국수를 얻어먹고 왔습니다.

지난 봄, 산북공소 공동체는 성전 봉헌 3주년 행사로 외국인 노동자들을 고향에 보내주는 아름다운 음악회를 열었습니다. 퇴촌성당 신자들 또한 초대를 받았고, 저 또한 한 곡조 준비했습니다. 가을에는 퇴촌성당에서 가을음악회가 열렸고, 주교님과 산북공소 성가대를 초대했습니다. 주교님께서 〈보리밭〉이란 노래를 부르셨는데, 우리 모두 깊은 감동을 받았습니다. 주교님과 함께 보리밭 사잇길로 걷고 싶어졌습니다.

"주는 것이 받는 것보다 더 행복하다"(사도행전, 20장 35절)라는 말을 들어본 적이 있으신가요? 이는 바오로 사도가 예수님의 말씀을 인용해 쓴 글입니다.

쉽게 생각할 때는 받는 것이 더 행복하지 않나 생각도 됩니다. 그리스도인은 스승이신 예수 그리스도를 따라 이타적인 존재가 되고, 사제의 삶을 희망하는 사람은 타인에게 자기 자신을 내어주는 데 기뻐해야 한다고 배웠습니다. 그러나 지난 삶을 반성하는 가운데 주는 것보다 받는 것을 더 바라고 살아왔음을 고백하지 않을 수 없었습니다.

그래서 어느 날 신학교 영성지도 신부님을 찾아뵙게 되었습니다.

"신부님 저는 주기보다는 받기를 좋아합니다."

그러자 신부님께서는 제게 다음과 같이 말씀하셨습니다.

"측은지심이 없는 게로군, 거저 받았으니 거저 주어야지. 남에게 주려면 조건 없이, 미련 없이, 그리고 아낌없이 후하게 주어야 하는 거야."

주고 또 주어도 나에게 손해가 나지 않는 놀이, 사랑의 핑퐁 게임입니다. 이 놀이를 알려주신 주교님, 감사드립니다. 그런데 주교님, 퇴촌에서 산북 가는 길에 핀 꽃들이 말하길, 이 놀이는 끝이 없대요.

루르드의 하루

    피레네 산맥 만년설 긴 잠에서 깨어나 어머니 품 안으로 와 닿으면

    청옥빛 비단물결 루르드 감싸 안습니다

    성령의 나부낌은 성당 종소리 온 세상으로 나르며 아프고 지친 이들을 불러 모읍니다

    세상 반대편으로부터 가녀린 영혼들 아버지 자비의 품으로 초대되니

    마사비엘Grotte de Massabielle*로 쏟아지는 생명의 빛살에 두 눈이 부십니다

    묵주알 줄을 이어 살금살금 어머니 품으로 갑니다

    천상의 목소리 음표를 만들어 춤을 추니 내 영혼 환희의 몸짓으로 주님을 찬미합니다

    세상 삶의 풍파 속에 몸을 가누지 못했던 영혼들 마주하며 영대를 두릅니다

하늘로 탄원들이 분향되어 오르니

그분 자비, 햇살이 되어 쏟아져 내립니다

"평화가 너희와 함께"

해는 뉘엿뉘엿 서쪽으로 잠을 청할 때

마음 담은 촛불들 향연 아베 마리아 선율과 손잡아 어머니 품으로 향하오니 받아주셔요

달은 차올라 어느덧 만삭의 어머니가 되어

우리 가운데 사람이 되신 말씀 은은한 빛살로 내려옵니다

성모 마리아여, 연약한 우리 죄인을 위하여 빌어주셔요

당신 아드님 예수 그리스도에게로 우리를 데려가셔요

오늘도 어머니 무릎 베게 삼아 하늘 꿈나라 청하오니 천상의 자장가 불러주셔요

---

* 마사비엘 동굴은 벨라뎃다(Bernadette Soubirous, 1844~1879) 성녀가 1858년 성모님의 발현을 목격한 곳으로 프랑스 루르드 성모성지 대성당 아래에 위치해 있다.

◇◇◇

우리 안에 하느님께서 사십니다. 어린아이처럼 뛰어 노시는 하느님, 자비로 감싸 안아주시는 하느님, 고통을 함께 겪으시는 하느님이 있어요. 바로 우리 안에요. 우리가 살아가면서 감동을 받고, 행복감과 사랑을 느끼고, 뜨거운 위로에 눈물이 나고, 기쁨에 눈이 반짝거리고, 마음이 따뜻해지는 이유를 아세요? 우리 안에 하느님이 있어서 예요. 하느님은 이미 우리 안에 있습니다. 창조 때 하느님께서 당신의 숨을 불어넣어 주셨잖아요. 그때 우리 안에 오셨습니다. 생명은 그래서 시작된 거예요. 그 생명이 계속되려면 사랑해야 합니다. 모든 이가 숨을 쉬고 사랑하는 이유, 그것은 우리 안에 생명이요 사랑이신 하느님이 계시기 때문입니다. 제가 지금 바라보는 당신 안에 하느님이 있어요.

5부

참된 행복이 솟아나는 샘

우리 안에
하느님이 있어요

　그리도 염원하던 본당 공동체 사목자로 산 지가 어느덧 3년이 되었습니다. 아무것도 모르는 어수룩한 햇병아리 신부와 함께 살아준 교우들을 떠올리면 고맙고 행복합니다. 게다가 그분들을 통하여 하느님 체험까지 하며 살고 있습니다.

　가장 행복했던 시간들을 떠올리자면, 어린아이들과 '무궁화 꽃이 피었습니다'라는 놀이를 하며 즐겁게 뛰어 놀던 어느 봄날이 먼저 떠오릅니다. 제가 없어도 저희들끼리 성당에서 그 놀이를 하는 모습을 보면서 정말 성당 곳곳에 무궁화를 심고 싶었습니다. 어린아이들이 뛰어 노는 성당은 새들이 많은 숲과 같습니다.

　두 번째로 행복한 순간은 20~30년 냉담하시던 분들이 눈물로 고해성사를 하고 신앙 생활을 열심히 하실 때입니다. 특히 강론을 할 때, 성당 안에 수백 명의 교우들이 가득해도 그 가운데서 냉담했다가 다시 온 이들은 정말 보석처럼 반짝반짝 빛이

납니다. 미사 후 그분들과 악수를 나누면 다른 이들과 달리 손을 잡는 느낌이 강렬합니다. 바라보는 눈빛도 다르니까요. 그것은 사제와 그 사람만이 아는 비밀과 같습니다. 예수님께서 왜 아흔아홉 마리의 양을 남겨두신 채, 잃어버린 한 마리 양을 찾아 나서셨는지 이해할 수 있는 순간이지요.

한동안 안 보이던 한 환자분이 병 상태가 많이 호전되어 성당에 왔습니다. 밝은 모습으로 인사를 나눌 때, 참 행복합니다.

"신부님! 수술이 잘되어 많이 좋아졌습니다. 항암치료는 안 해도 된다고 합니다."

이러한 말을 듣노라면 제 병이 다 나은 것 같아요. 그런 환자분들은 미사 후 안수를 받고 성체 앞에 머물러 기도하고 갑니다. 그때 흐르는 뜨거운 눈물 속에 아픔과 고통이 흘러내리고, 닦아내는 엄지와 검지 사이로 우리의 바람과 위로가 함께 있지요.

우리 안에 하느님께서 사십니다. 어린아이처럼 뛰어 노시는 하느님, 자비로 감싸 안아주시는 하느님, 고통을 함께 겪으시는 하느님이 있어요. 바로 우리 안에요. 우리가 살아가면서 감동을 받고, 행복감과 사랑을 느끼고, 뜨거운 위로에 눈물이 나고, 기쁨에 눈이 반짝거리고, 마음이 따뜻해지는 이유를 아세요? 우리 안에 하느님이 있어서예요.

하느님은 이미 우리 안에 있습니다. 창조 때 하느님께서 당신의 숨을 불어넣어 주셨잖아요. 그때 우리 안에 오셨습니다. 생명은 그래서 시작된 거예요. 그 생명이 계속되려면 사랑해야 합니다. 모든 이가 숨을 쉬고 사랑하는 이유, 그것은 우리 안에 생명이요 사랑이신 하느님이 계시기 때문입니다.

제가 지금 바라보는 당신 안에 하느님이 있어요.

하느님께서 우리 안에 오신 분명한 사건은 바로 성탄입니다. 성탄, 강생의 신비를 묵상하노라면 신성을 포기하고 인성을 취하신 하느님의 낮춤, 가난함을 깊이 깨닫게 됩니다. 그리고 십자가의 신비를 바라볼 때 우리는 인간을 향한 하느님의 놀라운 사랑을 가슴 깊이 느끼게 됩니다.

십자가를 지신 하느님께서는 인간의 고통까지도 사랑하셨습니다. 사랑하면 사랑하는 이를 닮고 싶잖아요. 하느님께서는 인간을 사랑하신 나머지 아예 사람이 되셨으니 우리를 얼마나 사랑하신 걸까요?

하느님께서 사람이 되신 것처럼 사람이 하느님이 될 수 있을까요? 하느님이 될 수는 없어도 하느님처럼은 될 수 있어요. 이를 많은 가톨릭 교부들은 신화神化, deificatio라고 설명했습니다. 신화란 사람이 하느님의 영역으로 들어가 하느님처럼 거룩한 사람이 되어 종국에는 하느님과 일치를 이루는 것을 의미합니다.

우리는 신화의 여정을 거닐고 있어요. 그것이 가능한 것은 우리 안에 하느님이 있기 때문입니다.

우리는 어디서 와서
어디로 가는 걸까요?

해마다 돌아오는 명절, 천주교 신자들에게 고유한 명절 문화가 있습니다. 성당에 모여와 먼저 하늘로 돌아가신 조상님들을 위해 미사 전 연도를 바치고 설 합동 위령미사를 봉헌함으로써 죽은 이들과 영적인 친교를 나눕니다. 그리고 미사 중에 평화의 인사를 하고, 교우들과 세배를 나누며 서로 하느님의 복을 빌어줍니다.

역시 복은 서로 빌어주어야 더 커지는 것 같습니다. 설날이나 추석 등 큰 명절에는 한국 사람이라면 부모님 계시는 고향을 찾아가는 것이 상례이지요. 마음에는 그리움 안고 손에는 선물 한 꾸러미 가득 들고 먼 거리의 고충을 기쁨으로 승화시키며 찾아가지요. 이런 모습을 바라보며 문득 우리 신앙인들의 길도 다를 바 없다는 생각이 듭니다.

우리는 어디서 와서 어디로 가는 걸까요? 역사 안에서 많은 이들이 이 질문을 스스로에게 던졌고 또 알맞은 답을 제시하려고 노력했습니다. 성 토마스는 《신학대전》(II-I, q. 1)에서 인간의 참된 행복과 목적에 대해 이렇게 설명합니다.

모든 인간은 궁극적인 목적지를 지니고 있는데, 이 목적지는 하느님입니다. 그 목적지에 도달할 수 있는 방법은 '하느님을 올바르게 인식하고 사랑함으로써 가능하다'고 설명합니다. 이어서 하느님과 일치하는 것이 참된 행복이라고 부연합니다.

따라서 우리 신앙인들은 '하느님으로부터 나와 하느님께로 돌아가는 여정을 거니는 순례자'라는 정체성을 지니게 되죠. 그 여정에서 우리는 하느님을 알고 사랑하기 위해 노력하고 있습니다.

여기서 우리 신앙인들의 목표와 그에 따른 구체적인 행동 양식을 그려볼 수 있습니다. 바로 하느님을 알고 사랑하는 길입니다. 비가시적이고 비가지적인 하느님을 아는 방법 중 가장 확실한 길은 하느님께서 직접 자신을 보여주신(계시) 예수님의 모습을 통해서입니다. 예수님께서 요한 복음에서 이렇게 말씀해주셨지요. "나를 보았으면 곧 아버지를 본 것이다."(요한 복음, 14장 9절)

우리는 예수님의 말씀과 행적을 통해 하느님 아버지를 보게 되었고 또 알 수 있습니다. 예수님을 올바르게 알기 위해서 우리는 성경 안으로 들어가 그분의 말씀을 읽고 묵상해야 합니다. 알면 사랑하게 되지요. 그리고 알수록 그 사랑은 깊어집니다.

이제 하느님을 사랑하는 길이 남아 있습니다. 내가 누군가를 사랑하기 위해서는 내가 얼마나 사랑받는 사람인지 체험해야 합니다. 우리는 가족 구성원들을 가장 편안해하고 사랑합니다. 그 이유는 그들로부터 사랑을 받아 느꼈고 배웠기 때문입니다. 옛 친구가 그립고 편안한 것은 오랜 시간 동안 그로부터 사랑을 받고 살아왔기 때문이 아닐까요? 연인들도 서로가 서로의 사랑을 느끼고 확인하면서 더욱더 사랑을 키워갑니다. 마찬가지입니다. 하느님을 사랑하는 길은 하느님께서 내게 큰 사랑을 주셨고, 지금도 나를 사랑하고 계심을 체험하는 데 있습니다. 언젠가 암을 앓고 있는 교우님이 이런 말씀을 하셨습니다.

"아침에 눈을 뜨면 새로운 시간을 허락해주신 하느님의 사랑에 감사드립니다."

하느님 사랑을 체험하는 길은 결코 어렵지 않습니다. 세상 모든 사람들이 다 나를 비난한다 할지라도, 감내하기 힘든 고통을 겪을지라도, 십자가에 매달려 계신 예수님을 바라보면,

그분은 내가 짊어진 모든 것을 당신이 대신 지겠다고 말씀하시
니까요.

　우리 신앙인들은 첫사랑을 받았고 사랑을 배웠던 사랑의 원
천 하느님을 향해 가고 있습니다. 사랑하는 연인처럼 하느님을
알고 사랑하여 참된 행복을 누리는 여정을 신바람 나게 씩씩하
게 걸어가도록 해요.

행복은 어디에

어둑해진 오후를 마주하고
수북이 쌓인 책들 너머로
햇볕 한 줌에 지친 몸을 기댈 적에
밀려오는 오렌지빛 여유여!

바빌로니아를 닮은 베네치아 광장을 지나
수많은 사람들, 사연들 너머로
아베마리아 선율에 영혼을 기댈 적에
감겨오는 눈동자 안에 담긴 잔잔함이여!

잿빛 늦가을 하늘을 바라보며
떨어지는 부슬비와 낙엽들 너머로
한 발 한 발 내딛는 발걸음에 영혼의 날개를 펼 때에
피어오르는 신선한 숨결이여!

시간은 발길을 재촉하고

길은 이제 그만이라고 말하더라도

그 모퉁이 돌아 오솔길은 널 기다리니

영육이 어디로 가는지 귀 기울일 적에

행복은 그곳에!

사랑의
불가마

기도하면서 예수님을 부를 때, 예수님의 어떤 모습을 떠올리나요? 저는 눈이 참으로 온유하신 예수님, 물 위를 걸어오시는 예수님을 떠올린답니다. 제 마음을 사뿐사뿐 걸어오는 예수님을 바라보고 있노라면 그분께서는 항상 온유한 눈빛을 보내주십니다.

언젠가 이 예수님의 온유한 눈빛을 본받고 싶어서, 예수님의 눈빛과 미소를 따라 하기 시작했습니다. 처음에 동창들을 바라보며 살며시 미소 지으며 온유한 눈빛을 보냈는데, "너 뭐 잘못 먹었냐?"라고 하더군요. 평상시에 제가 보내는 눈빛이 얼마나 무뚝뚝했으면 그랬겠습니까?

거리에 서면 지나가는 사람들을 바라보았습니다. 모두가 하나같이 무표정이거나 인상을 쓰고 있더군요. 그래서 기도 속에서 예수님께서 보여주신 온유한 눈빛과 미소를 보내주었습니다. 눈을 마주친 사람들은 역시나 이상하게 보더군요. 그러나 쉽게 포기할 제가 아니었죠. 편의점에 들어가서도, 빵집에 가서도, 옷가게에 가서도, 버스표를 살 때도, 만나는 이들에게 그냥 온유한 눈빛과 미소를 지었습니다. 사람들이 부드러워지기 시작했습니다.

'아~ 되는구나. 온유한 눈빛을 보내자.'

그러던 어느 날 고향 성당에서 있었던 일입니다. 중년으로 보이는 소위 정신적으로 문제가 있어 보이는 여자분이 온 성당을 돌아다니며 괴성을 지르고 욕설을 퍼부었습니다. 그녀의 눈은 충혈되어 있었고, 손과 발, 행동거지는 산만했습니다. 사람들이 나가 말려보아도 안 되었습니다. 좋은 기회가 찾아온 것입니다. 저는 그 여자에게 다가갔습니다. 그리고 온유한 눈빛과 미소로 그분의 눈을 바라보았습니다. 그런데 놀라운 일이 벌어졌습니다.

"뭘 쳐다봐!"

그러면서 제 뺨을 때리는 것이 아니겠습니까! 저는 깨달았습니다. '아직 예수님의 온유한 눈빛과 마음을 닮기에는 수련이 더 필요하구나. 더 연마해야겠다. 그동안 교만했었다.'

정말이지 예수님의 온유한 눈빛과 마음을 닮고 싶습니다. 예수님은 당신의 온유한 성심으로 우리를 초대합니다.

"나는 마음이 온유하고 겸손하니 내 멍에를 메고 나에게 배워라. 그러면 너희의 영혼이 안식을 얻을 것이다. 내 멍에는 편하고 내 짐은 가볍다."(마태 복음, 11장 29절)

예수성심대축일 미사 감사송에 이러한 구절이 있습니다.

"모든 이가 구세주의 열린 성심께 기꺼이 달려가 끊임없이 구원의 샘물을 퍼내나이다."

우리가 예수 성심을 공경하는 이유는 예수 성심에서 구원의 샘물을 마시기 때문입니다. 예수님의 성심을 표현할 때, 불타는 심장 모양과 그 주변에 가시관이 씌워진 성화를 본 적이 있을 것입니다. 한때 '왜 불타는 심장으로 예수님 마음을 묘사했을까?'라고 의아해한 적이 있었습니다. 예수성심호칭기도에 이런 구절이 있습니다.

"사랑의 불가마이신 예수 성심, 자비를 베푸소서."

그렇습니다, 예수님의 성심은 사랑의 불가마입니다. 우리를 사랑하는 그분 마음 안에 머물다 보면 땀이 배출되듯 우리로부터 온갖 더러운 악의 요소들이 빠져나가고, 선한 마음으로 달구어져 세상에 필요한 주님의 도구가 됩니다. 우리를 사랑으로 불타오르게 하는 예수님의 성심은 가시관을 쓰고 있지요. 그것은 벗을 위해 목숨을 내준 사랑을 표현한 것이 아닐까요?

예수님의 온유한 눈빛을 마주하며, 사랑의 불가마이신 예수 성심 안으로 휴식을 떠나봅시다.

4월에
꽃이 피는 이유

여러분은 4월을 기다리나요? 새 장화를 산 일곱 살 어린이가 봄비를 기다리겠지요. 4월의 새 신부가 웨딩드레스를 입을 내일을 뜬눈으로 기다리겠죠. 나무껍질 속에 곤히 잠자던 새싹들이 따뜻한 봄바람을 기다리겠지요.

이처럼 기다림은 우리를 설레게 합니다. 기다림은 우리를 깨어 있게 합니다. 그리고 기다림은 우리를 준비하게끔 하고 다가올 기쁨에 희망을 품게 해줍니다.

여러분은 4월이 되면 무엇을 기다리나요?

분노에서 온유로, 옹졸함에서 너그러움으로, 죽음에서 생명, 고통에서 해방, 죄에서 용서로 봄바람이 붑니다. 그 바람을 타고 우리가 기다리는 날이 있어요. 바로 예수님의 부활입니다. 참 신비하게도 부활 즈음이면 온 세상에 꽃이 핍니다. 새싹들이 기지개를 펴고 산과 들에 꽃이 피니, 그야말로 부활이 아닐 수 없습니다.

그런데 그 부활이 오기까지 어느 한 사람은 수많은 사연을 가슴에 묻어야 했습니다. 그 사연 깊은 밤으로 여러분을 초대합니다. 사연의 주인공은 바로 예수님입니다. 그분께서 돌아가시기 전날 밤, 성경은 그 밤의 사연을 이렇게 풀어놓습니다.

"예수님께서 아버지께로 건너가실 때가 온 것을 아셨고, 이 세상에서 사랑하신 당신의 사람들을 끝까지 사랑하셨다."(요한복음, 13장 1절)

수난 전날 밤, 예수님께서는 그토록 사랑하시던 제자들과 마지막을 보내시려 합니다. 그 마지막 날 스승님께서 하신 일은 다름 아닌 제자들의 발을 닦아주시는 것이었습니다. 무슨 사연으로 그리 되었을까요?

예수님께서는 식탁에서 일어나시어 겉옷을 벗으시고 수건을 들어 허리에 두르신 후, 대야에 물을 부어 제자들의 발을 씻어주신 다음 수건으로 닦아주십니다. 삼위일체 하느님이신 성자 예수 그리스도께서 인간의 발을 닦기 위해 무릎을 꿇고 자신을 낮춰 고개를 숙이십니다. 그리고 인간 육체의 가장 낮은 곳, 더러운 부분을 씻어주십니다. 예수님께서는 제자들의 발을 씻겨주신 후, 자신의 몸과 피로 제자들의 영혼을 채워주셨습니다. 깨끗해진 우리의 영혼에, 이제 영원한 생명의 양식인 당신의 몸과 피를 주십니다. 그리하여 인간은 태초에 하느님께서 숨을 불어넣어 생명을 주신 그 순수하고 깨끗한 모습으로 돌아갑니다. 우리는 이렇게 하느님의 사랑과 섬김으로 새롭게 태어납니다.

그 사연 많던 밤은 하느님의 무한한 사랑과 인간의 사랑이 만나 하나가 되는 친교의 밤입니다. 하느님의 자비와 인간의 회개가 만나는 구원의 밤입니다. 하느님의 낮춤이 인간의 영혼을 올리는 섬김의 밤입니다. 그리고 우리에게 이렇게 말씀하십니다.

"너희도 서로 발을 씻어주어야 한다. 내가 너희에게 한 것처럼 너희도 하라고, 내가 본을 보여준 것이다."(요한 복음, 13장 14~15절)

예수님의 마지막 날 사연은 그랬습니다. 이제 그 사연들이 봄바람을 타고 산과 들에 전해집니다. 이것이 바로 부활절이 있는 4월에 꽃이 피는 이유입니다.

4월이 기다려지나요? 기다려진다면 당신과 저는 같은 사연을 풀어보고 있습니다.

아름다운
꼴찌

올림픽이 열리면 이곳저곳 감동과 환희, 아쉬움의 감정으로 주변에 이야기꽃이 만발합니다. 4년간 열심히 훈련하여 경기에 나서는 선수들 모두 자랑스럽고 대단해 보입니다. 그런데 은메달에 머문 선수가 세상이 다 무너지는 것처럼 억울해하거나, 동메달 수여 시상 단상에 오른 이가 슬픔에 잠겨 있는 모습은 참 안타깝고 또 한편으로는 아쉬운 광경입니다. 그러나 일등부터 꼴찌까지 모두가 다 올림픽의 주인공입니다. 그들은 수년간 아니 수십 년 동안 한 분야에 매진하여 땀을 흘렸기 때문입니다.

물론 꼴찌가 되는 걸 좋아하는 사람은 별로 없을 것입니다. 수년 전 텔레비전 광고에서 이런 문구가 유행했습니다. "세상은 2등을 기억하지 않습니다." 세상은 첫째만을 기억한다는 이야기겠죠. 그렇게 우리는 자연스레 일등을 기억하는 경쟁 사회에 길들여왔는지도 모릅니다.

어린 시절 가을 운동회 때 달리기 시합을 했던 경험이 한 번

쯤 있을 것입니다. 1등은 공책 3권, 2등은 2권, 3등은 1권, 그 외 학생들은 시상식 때 박수를 쳐야 합니다. 중학교 때 반에서 꼴지를 하는 애들은 교무실에 잘 불려갑니다. 반 성적 떨어뜨린다고 말이죠. 이에 상처받은 많은 학생들이 "행복은 성적순이 아니잖아요"라고 말하기도 했죠. 모두가 그런 것은 아니겠지만, 현대 사회는 학력, 운동, 외모에 있어서 꼴지보다 1등을 더 좋아하는 듯 보입니다.

그런데 우리 신앙인들은 안심해도 됩니다. 하느님 나라는 그 반대니까요. 예수님께서는 "누구든지 첫째가 되려면, 모든 이의 꼴찌가 되고 모든 이의 종이 되어야 한다"(마르코 복음, 9장 35절)라고 말씀하십니다.

제자들은 자신들이 듣고 싶고 보고 싶은 것, 첫째가 되는 것만 보려 했고, 예수님이 잡히셔서 죽음에 처하는 상황, 즉 예수님이 꼴찌가 되는 사실을 받아들이고 싶지 않았던 것입니다. 실제 제자들은 서로가 더 높은 사람이 되려고 옥신각신 다투기도 했지요.

예수님께서 수난을 겪고 돌아가셨을 때, 제자들은 다 도망갔고 유대인들은 예수님의 십자가 아래서 조롱을 하며 '어디 너나 살려봐라' 하며 손가락질을 해댔죠. 그들은 꼭 이렇게 말하는 듯했습니다. "넌 꼴찌야."

　하지만 예수님은 부활하신 첫째 인간이 되었고, 성부 오른편에 앉으셨습니다. 예수님께서는 이미 창조 때부터 첫째셨습니다. 하지만 허름한 마구간에서 꼴찌의 모습으로 세상에 오셨고, 십자가라는 꼴찌의 모습으로 세상을 떠나셨습니다. 우리는 이 세상에서 예수님처럼 아름다운 꼴찌가 되는 길을 찾는 사람들입니다. 그리고 그 길이 결코 꼴찌가 되는 길이 아님을 깨닫고 증거하는 사람들입니다. 더 나아가 그 꼴찌를 즐기며 우리 자신을 수련해야 하는 사람들입니다. 그렇게 될 때 우리는 하느님께서 보시기에 첫째가 될 것입니다.

　우리는 삶의 터전에서 꼴찌로서 살아가는 기쁨, 다시 말해 상대방을 첫째로 만들어주는 기쁨을 배우고 느끼며 살아가야 할 것입니다. 이웃이 잘되면 박수 쳐주고, 바쁘지만 성당을 홀로 청소하는 누군가가 하느님에게는 첫째입니다. 자기 시간 빼내서 남몰래 타인을 위해 기도해주고, 작은 일이라도 내가 속한 공동체를 위해 봉사하는 당신이 바로 하느님에게는 첫째입니다.

　세상이 기억하고 떠받들어주는 첫째가 아니라, 하느님께서 인정해주시고 보듬어주시는 첫째, '아름다운 꼴찌'는 바로 그대입니다.

사랑

    사랑은 마치 맑은 물 속에 물감 한 방울이 떨어지는 것과 같습니다. 무색의 물 안에 사랑이라는 물감이 떨어지면 그 물은 온통 사랑의 색깔로 물들게 됩니다.

    사랑은 마치 꽃향기가 바람에 실려 오는 것과 같습니다. 악취가 나거나 무미건조한 곳에 사랑의 향기가 전해지면 그곳은 사랑의 향기로 가득하여 그 향기를 맡는 사람으로 하여금 감동으로 취하게 합니다.

    사랑은 마치 잔잔한 옹달샘에 비친 하늘 모습처럼 진실합니다. 그래서 서로에게 가면을 쓰지 않고, 있는 그대로의 나를 보여주게 됩니다. 자신의 부족함과 미천함을 숨기지 않습니다. 그럼으로써 서로의 신뢰가 쌓이고, 서로 의탁하게 됩니다. 있는 그대로의 나를 보여주게 되면, 우리는 서로의 부족함을 알게 되기 때문에 사랑으로 서로의 부족함을 채워줄 수 있습니다.

    사랑은 마치 봄 햇볕이 대지를 깨우는 것과 같습니다. 움직여서 다른 누군가에 전해지지만 떠나온 곳에도 여운처럼 더 큰 사랑을 남겨둡니다. 그 사랑으로 말미암아 제 2의 사랑이 탄생하며 그렇게 사랑은 자신의 울타리를 넓혀갑니다.

이렇듯 사랑은 가만히 있지 않고 움직입니다. 어디든 바로 사랑이 필요로 하는 곳으로……. 그러기에 사랑은 병들고 헐벗고 고통과 아픔, 미움과 증오, 그릇됨과 오류가 있는 곳을 향하여 꽃향기처럼 마음을 타고 움직입니다.

꽃에서 꿀을 따고 있는 꿀벌을 보신 적 있나요? 그 벌을 손으로 건드려본 적이 있나요? 꿀 따는 벌을 손으로 건드리면 꿀벌은 우리가 자신을 건드리는 줄도 모르고 꽃 속에 파묻혀 꿀을 땁니다. 보통 때 같으면 아마도 벌은 사람의 손을 독침으로 쏠 것입니다. 그런데 꿀을 따고 있을 때는 모릅니다. 왜 그럴까요? 그것은 바로 벌이 꽃향기와 꿀에 취해서입니다.

우리가 하느님의 사랑에 취하면 어떠한 어려움도 이겨나갈 수 있습니다. 어떠한 세속적 유혹이 우리를 건드려도 흔들리지 않습니다. 우리가 하느님의 사랑에 취하면 엄청난 추진력을 가지게 됩니다.

사랑은 그러한 힘을 가지고 있습니다. 분명 예수님은 사랑이며 하느님 아버지의 사랑에 취하신 분이셨습니다. 하느님의 사랑에 취하게 되면 그분께 우리의 모든 것을 말하게 됩니다. 하느님께 우리 자신의 알몸을 보여드리게 됩니다. 내가 잘못한 것, 잘한 것, 슬픈 일, 기쁜 일 모든 것을 그분 앞에 고백하게 됩니다. 다른 사람은 우리 말을 결코 들어주지 않더라도 하느님만은 나의 모든 것을 들어주시고 공감해주십니다. 그것이 바로 하느님의 사랑입니다. 그래서 사랑은 사람을 진실하게 만듭니다.

꿀벌이 꽃에 항상 머물러 있고 싶어 하듯이 우리가 하느님을 사랑하게 되면 그분과 머물고 싶고 그분을 알고 그분을 보게 됩니다. 이렇게 체험된 하느님의 사랑은 우리를 가만히 두지 않고 우리로 하여금 무엇인가를 하게끔 만듭니다. 그 무엇은 몸과 마음을 다해 봉사하거나 희생하는 삶입니다.

누군가를 사랑했을 때를 떠올려보십시오. 까만 밤이 하얗게 새도록 사랑하는 이를 위해 기도하지 않았나요? 하얀 낮이 까만 밤이 되도록 사랑하는 이를 위해 열심히 살아가지 않았나요? 그래서 사랑은 반드시 혀로서 말해지는 것이 아니고 눈과 숨결, 얼굴, 즉 표현과 행동으로 말해집니다.

하느님의 사랑에 취하게 되면 몇 가지 현상들이 일어납니다. 사랑은 사랑하는 이들을 닮게 합니다. 부부끼리는 서로 닮은 경우가 많습니다. 취미와 성격이 다를지라도 사랑하기 때문에 상대방이 좋아하는 것을 같이 해주게 됩니다. 사랑하는 사람들은 그렇게 닮아가는 것 같아요. 우리가 하느님을 사랑하게 되면 우리는 자연스레 하느님을 닮습니다. 하느님이 그러했습니다. 인간을 너무도 사랑하신 나머지 인간을 닮는 것을 넘어서서 인간이 되어버렸잖아요. 우리도 마찬가지입니다. 하느님을 사랑하게 되면 그분의 눈빛과 그분의 음성과 그분의 손길을 닮게 됩니다.

사랑하게 되면 우리는 그 사람과 함께 있고 싶어 합니다. 사랑하는 사람이 생겼을 때를 생각해보십시오. 얼마나 그 사람과 함께 있고 싶고 만나고 싶어 했는지, 잠시라도 떨어져 있게 되면 전화를 통해서라도 함께 있고 싶어 하잖아요. 이처럼 하느님을 사랑하게 되면 우리는 하느님과 함께 하고 싶어 그분 앞에서 기도하게 됩니다. 기도하고 있는 우리는 그분과 하나가 되지요. 그래서 예수님께서는 너희가 서로 사랑하면 너희가 내 안에 있고, 나 또한 너희 안에 있다고 말씀하셨습니다.

사랑하게 되면 가난해집니다. 우리가 어떤 이를 사랑하게 되면 그 사람에게 모든 것을 주고 싶어 합니다. 자신의 것을 비우고 포기합니다. 그래서 가장 소중한 자신의 전 존재를 주지 않습니까? 부모님의 사랑 또한 자녀를 위해 자신의 모든 것을 줍니다. 예수 그리스도의 사랑도 이처럼 자신의 가장 소중한 생명을 내어주었답니다. 그것이 바로 십자가의 죽음입니다.

우리가 사랑하면 새로운 세상을 볼 수 있습니다. 그것이 바로 부활의 삶일지도 모릅니다. 사랑하면서 살아도 다 못 살 세상, 우리 서로 사랑하며 살았으면 좋겠습니다.

비행기에서
쓴 편지

하느님의 은총 안에서 평안하신지요?

지금 이 순간, 저는 선교 여행을 하던 바오로 사도의 마음을 깊이 공감하고 있습니다. 사도 바오로는 떠나온 신자 공동체를 참으로 그리워했고 그러한 마음을 편지에 담았는데, 저 또한 그 마음으로 여러분에게 이 글을 씁니다.

곧 만날 교우님들을 생각하는 저의 마음이 얼마나 가슴 벅차오르는지 아시는지요? 저는 지금 유학 생활을 마치고 귀국하는 비행기 안에서 여러분을 떠올리고 있습니다. 정말이지 이 날을 얼마나 기다렸는지 모릅니다.

비행기 작은 창문 밖으로 멀어져가는 로마의 야경이 두 눈 사이로 흐르는 눈물 방울 방울에 반짝입니다. 지난 시간들을 돌아보며 제가 돌아가야 할 곳으로 무사히 되돌려 보내주시는 하느님의 섭리에 감사 기도를 드리지 않을 수 없습니다.

우리 모두는 하느님의 사랑을 받고 체험하고 싶으며 또 그 사랑을 주변 이들에게 전해줄 사명을 지니고 있습니다. 또한 하느님과 일치하여 하느님의 선을 세상에 전하는 임무도 있습니다. 2000여 년간 가톨릭 교회는 그 일치에로의 여정을 탐구하고 하느님의 선을 실천하기 위해 혼신의 노력을 기울였다 해도 과언이 아닐 것입니다. 성인 성녀들의 모범과 신학적 사색들은 우리에게 그 일치에로 가는 풍부한 지름길을 알려줍니다. 그런데 우리 모두는 각자가 성령께서 가르쳐주시는 고유한 길을 체험하지 않으면 안 됩니다. 여러분께서는 그 일치의 여정에 어떻게 이르시고자 하시나요?

진실한 하느님을 만나려면 우리 자신이 진실해지면 됩니다. 선하신 하느님을 만나려면 우리 자신이 선해지면 됩니다. 자비로우신 하느님을 만나려면 우리 자신이 자비로워지면 될 것입니다. 왜냐하면 이미 우리 안에 하느님께서 당신의 모습을 담아주셨기 때문입니다. 우리에겐 하느님을 느끼고 만나고 체험할 수 있는 마음이 있습니다.

저는 여러분과 이 따뜻한 마음을 함께 나누고 싶습니다. 그리고 함께 느끼고 싶습니다. 우리 모두는 따뜻합니다. 왜냐하면 우리 모두는 하느님처럼 선한 존재이기 때문입니다. 하느님께서 우리를 당신의 모상대로 창조하셨기에, 우리는 선 자체이신 하느님의 선을 나누어 받았습니다.

그 선을 시기 질투하는 어둠의 세력이 우리를 죄의 구렁텅이로 유혹했으며, 하느님께서는 그러한 우리를 가엾게 보시고 영원한 생명으로 이끌고자 성자 예수 그리스도를 보내시어 당신 자신을 십자가의 희생 제물로 내어주셨습니다. 이것이 바로 예수님께서 보여주신 자기증여의 사랑입니다. 선의 다른 한 면은 사랑이라고 생각합니다. 왜냐하면 사랑하는 모든 이는 착하기 때문입니다. 내가 누군가를 사랑할 때 그때처럼 우리 자신이 착하고 예쁠 때가 없습니다.

우리가 자신 안에 담긴 선을 서로 나누면 서로가 사랑으로 하나가 될 수 있습니다. 신자 공동체 안에는 다양한 사람들이 함께 있습니다. 저와 여러분 그리고 여러분들 사이에서도 다른 점이 있습니다. 그러나 우리가 따뜻한 마음으로 사랑하고 하나가 되게끔 하는데 그 다름은 아무런 장애가 되지 못합니다. 왜냐하면 우리 모두는 똑같이 선한 마음을 지니고 있기 때문입니다. 그 마음으로 하느님의 모습을 담아내어 타인에게 전해줌으로써 한 분이신 하느님의 마음 안에 머물 수 있기 때문입니다.

언젠가 만날 사랑하는 교우 여러분, 우리는 한 지붕 안에서 살아가는 가족입니다. 크게는 하느님께서 내려주시는 빛처럼 눈부신 축복과, 밤하늘에 쏟아지는 별들 수만큼 많은 은총을 향유하며 살아가는 그리스도인입니다. 공동체 구성원들이 서로가 가진 하느님의 선한 마음을 서로에게 전해준다면 우리는 분명 따뜻하고 행복한 공동체가 될 것입니다.

저는 많이 부족하고 게다가 부덕한 사제입니다. 사목적으로 충분한 경험도 없거니와 학생 신분이었기에 이상에 젖어 신학적 잣대를 저 높이 띄워놓고 현실적인 문제에 소홀히 할 수도 있을 것입니다. 또한 아직 젊은 사제이기에 의욕이 앞서 차분하고 전체적인 사목적 조망을 간과할지도 모릅니다. 그러나 저는 그리 두렵지 않습니다. 왜냐하면 여러분들이 있기 때문입니다. 여러분이 저에게 따뜻한 조언과 충고를 해주십시오. 가족은 그런 거잖아요!

여러분의 기쁨과 슬픔에 제가 함께할 수 있도록 허락해주시길 바랍니다. 저 또한 여러분에게 고이 간직되고 싶은 선물이고 싶고, 예수님의 사랑받는 제자가 되었으면 좋겠습니다. 그것이 제 꿈이며 제가 이 생을 살아야 할 이유입니다.

여러분을 만나게 해주실 사랑이신 하느님 아버지께 감사드리며, 저는 매일 성모 어머니 곁으로 로사리오 구슬에 여러분을 태워 모셔 가려 합니다. 정갈한 마음으로 예수 그리스도의 희생제사인 미사성제 안에서 여러분 모든 가정을 위해 간절히 기도할 것입니다. 우리 그렇게, 조금씩 조금씩, 따뜻한 마음을 느끼고 나누며 이 땅에서 하느님 나라를 만들어갑시다. 성모 어머니께서 우리를 당신 아드님 곁으로 안내해주실 것이며, 거룩한 하느님의 영이신 성령께서 우리를 변호해주시고 인도해주실 것입니다.

지금 바로 비행기 부기장이 인천공항까지 40분 정도 남았다고 전해줍니다. 조금 있으면 여러분을 뵙게 되겠지요. 정말 그렇게 되었으면 좋겠습니다. 저는 정말 행복합니다. 여러분은 지금 어디에 있나요? 제가 여러분이 있는 그곳으로 가도 되겠습니까?

2010년 11월 8일
김대우 모세 신부 올림

해질녘 아시시

　보슬비 내리는 움브리아 살며시 다가오고 언덕 위 성인들 숨결 구름처럼 밀려온다

　성녀 글라라 성체 등불로 하느님께로 가는 길 비추어주고

　성 프란치스코 작은 꽃송이 포르치운꼴라Porziuncola* 에서 피어오르니

　두 눈이 감기고 기도가 절로 난다

　가난과 비움의 향기는 성령의 바람을 타고 순례자들의 마음을 취하게 하여

　오래 전 잠가두었던 마음 문 여니 미소가 찾아오고 감동이 일렁인다

　마음속 깊이 묻어두었던 상처들 꺼내어 보니

　님이 보내주신 천사들 후후후 따뜻한 입김 불어주네

　형제자매들 주님의 기도 선율 따라 손에 손을 잡아 온기를 전해주니

　이것이 사랑인가 보다

내 발 닦은 스승님처럼 살고자

죄의 소매를 거두고 믿음의 허리띠를 두르니 새로운 열망 솟아나네

가난한 이가 보이고 아픈 이가 아른거리니 내 마음이 눈을 뜨나보다

분노가 사라지고 미운 형제 자매 눈 속에 예수님이 웃고 계신다

아버지 사랑이 이토록 크시온데

저는 그만 옹졸하게 마음의 문을 닫아버렸어요

오, 주님! 저를 당신의 평화의 도구로 써주소서

제 뜻대로 하지 마시고 당신 뜻대로 하시옵고

저를 당신께 맡기는 것이 어쩔 수 없는 저의 사랑입니다

＊ 성 프란치스코가 예수님의 음성을 듣고 허물어진 성당을 재건한 작은 경당. 이곳으로부터 프란치스코 작은형제회가 탄생했다.

길 위에서 만남

알면 알수록 빠져드는 당신을 만나려 길을 떠납니다

보면 볼수록 희미해지는 당신은 어디 계시나요

돌산을 지나고 언덕을 넘어 흰 눈이 나리면

잠자던 바위와 작은 나무는 시를 읊어요

팅커벨의 꽃가루가 쏟아지니

하늘 옹달샘이 호수가 되고

그 위로 수천 년 거슬러 견우직녀 만나던 다리가 생겨나요

당신 만나러 가는 길

어머니 품 안에서 곤히 잠든 아기가 되어버려요

꿈결에서 나지막이 울리는 소리 묵주알 따라

아베 아베 아베마리아

눈을 뜨자 노란 유채꽃 물결치고 바람개비 손짓합니다

톱니 바위들의 위용 하느님 영광을 드러내며

서산에 어둠이 드리워질 때 몬세랏의 종소리 울려퍼집니다

수도승의 성무일도 찬미가 지친 순례자 위로하며 하느님께 함께 가자고 손을 건네요

빗소리가 들려요
잔잔한 내 맘 하느님의 말씀 한 방을 한 방울 떨어져
동그라미 물결이 내면 깊은 곳으로 퍼져나가요
세상 잡념은 흰 구름처럼 하늘로 사라지며
눈앞에서 거치자 당신의 권능과 영광이 환연하게 드러납니다
이제 다시 새로운 발걸음 하느님 섭리 안에서 있으니 내 영혼 더 바랄 것 없나이다

소중한 당신에게 전하는
햇병아리 신부의 행복 이야기

나는 오늘도
행복이라는
지름길을 걷는다

교회 인가 2014년 1월 23일(수원교구)
초판 1쇄 발행 2013년 12월 25일
초판 3쇄 발행 2017년 7월 10일

지은이 ｜ 김대우
펴낸이 ｜ 이정구
펴낸곳 ｜ 나무와달

출판등록 ｜ 2009년 11월 5일(제408-2009-000006호)
주소 ｜ 서울특별시 광진구 아차산로 463-6, 102호
전화 ｜ 02-3436-2608 **팩스** ｜ 02-3436-2609
이메일 ｜ tree.moon@daum.net

ISBN 978-89-963716-2-5 03230
값 13,000원